D1130818

Cuentos de Perrault

Ilustraciones: Eduardo Trujillo y Marcela Grez
Maquetación: DPI Comunicación S.L.

C/ Campezo, s/n - 28022 Madrid
Tel.: 913 009 115 - Fax: 913 009 110
ediciones@todolibro.es
Impreso en la UE

Cuentos de Perrault

TODOLIBRO

El flautista de Hamelín

La hermosa ciudad de Hamelín era un lugar tranquilo... hasta que un día una plaga de ratones invadió todas las casas. El alcalde, desesperado, ofreció mil marcos a quien librara a la ciudad de la terrible plaga.

Pasaban los días y nadie encontraba el remedio, hasta que apareció un extraño joven, alto y delgado, que ocultaba una flauta bajo su capa.

El curioso personaje pidió hablar con el alcalde.

–Señor alcalde –dijo el joven–, yo tengo el secreto para libraros de los ratones. Pero soy pobre y deseo saber qué me daréis en recompensa.

–He ofrecido mil marcos a quien nos diera una solución.

–De acuerdo entonces. Antes de que anochezca, no quedará ni un solo ratón en Hamelín.

Se dirigió entonces a la plaza mayor, donde comenzó a tocar una bella melodía con su flauta. Cuando las gentes ya empezaban a desconfiar, apareció allí un ratoncillo, se acercó al flautista y se quedó embelesado ante él. Pronto asomó los bigotes otro ratón, luego otro y otro, hasta que vinieron tantos que era imposi-

ble contarlos. El flautista tocaba sin cesar y los ratones se iban quedando a su alrededor.

Cuando hubo cientos de miles de ratones reunidos, el joven se encaminó resueltamente hacia el río.

—¡No podrá atravesarlo! ¡Se ahogará! —gritaba el público. Pero el flautista llegó a la orilla, siguió avanzando y se sumergió hasta la cintura, tocando siempre su instrumento.

Los ratones, atraídos por la música, se metieron en el agua tras él y, como no sabían nadar, se fueron ahogando. Cuando el flautista llegó a la otra orilla, no quedaba vivo un solo ratón.

Todo el mundo aclamó al salvador de la ciudad, que volvió a cruzar el río y se dirigió al ayuntamiento seguido de una multitud. El alcalde salió a recibirlo a la puerta.

—Pasa, buen hombre, seca tus vestidos, come y bebe.

Una vez repuesto nuestro músico, le entregaron una bolsita de cuero. El joven la abrió y vio que sólo contenía cien marcos.

—Señor, esto no es lo convenido. Me ofrecisteis mil marcos y no me ire hasta que me los déis.

—¡Insolente! ¿Cómo te atreves a pedir tanto sólo por soplar una vieja flauta? ¡Vete ahora mismo y agradece mis cien marcos, que todavía te los puedo quitar!

El flautista le miró enojado y salió de allí con paso enérgico, diciendo:

—¡Te arrepentirás de lo que has hecho conmigo!

El joven atravesó la ciudad y llegó al parque, donde estaban jugando casi todos los niños. Allí se detuvo, sacó la flauta y comenzó a tocar una bellísima melodía. Todos los chiquillos de la ciudad, como hipnotizados, fueron acercándose al hombre que tocaba sin cesar, hasta que no quedó en las casas ni un solo niño.

Entonces el flautista empezó a alejarse del parque y todos los niños le siguieron. La gente adivinó lo que les sucedería a sus hijos y empezó a llamarlos a gritos, pero en vano. Los chiquillos,embrujados, seguían al flautista, que se dirigía al río.

—¡Los va a ahogar en el río! —gritaban aterrados. Pero al llegar al río, el hombre se desvió hacia la colina más alta.

—¡No van al río! ¡Están salvados! —volvió a gritar la gente.

El músico comenzó a trepar la colina seguido por todos los niños. ¿Todos? ¡No! Un chiquitín cojito quedó rezagado.

Cuando el flautista llegó a la cima, se abrió una enorme grieta por la que desaparecieron los niños.

El cojito, al llegar a la cumbre, vio que la montaña se cerraba sepultando a todos sus compañeros.

La consternación más grande invadió Hamelín, donde no se escucha-

ban más que lamentos. El no tuvo más remedio que fugarse, pues le hacían responsable de la desgracia por su tacañería.

El cojito fue acogido por las madres como el hijo de todas y, aunque le colmaban de caricias y regalos, estaba triste porque no tenía con quién jugar.

Un día subió a la cumbre del cerro y se sentó en la hierba, siempre pensando en sus amiguitos desaparecidos. De pronto vio que algo brillaba ante él. Se levantó penosamente y se acercó al objeto, que resultó ser la flauta del aciago personaje. El cojito, que tenía buena memoria, trató de tocar la melodía que oyera al flautista.

Con las primeras notas sintió que la tierra se movía bajo sus pies. Siguió tocando y, ¡oh maravilla!, la colina empezó a abrirse y en seguida apareció un niño, luego otro y otro, hasta que todos estuvieron fuera, sonriendo felices de haber sido desencantados.

Todos los niños se dirigieron a la ciudad. Los adultos, al verles, lanzaron gritos de júbilo y echaron las campanas al vuelo. Todos se abrazaban y besaban. Recibieron al cojito como un héroe y le llevaron en hombros hasta el ayuntamiento, donde el nuevo alcalde le saludó agradecido y le hizo entrega de mil marcos.

La flauta fue quemada en una fogata hecha en la plaza y desde aquel día Hamelín volvió a ser una ciudad feliz y tranquila, sin ratones y sin tacaños.

Barba Azul

Éste era un hombre fabulosamente rico, que poseía ilimitadas tierras y numerosos castillos. Tenía una enorme barba azul que le daba un aspecto terrible y por la que todo el mundo le llamaba Barba Azul.

Junto al suntuoso castillo de este rico señor, había una casita en la cual vivía una pobre viuda con sus hijas: Ana y Elisa, muy bellas las dos.

Cierto día, Barba Azul visitó a la viuda para solicitarle una de sus preciosas hijas por esposa, pero le permitió elegir a ella misma cuál habría de dar en matrimonio.

Al principio ninguna de las dos jóvenes quería casarse con Barba Azul, pues sabían que sus anteriores esposas habían desaparecido.

Pero Elisa, finalmente seducida por las riquezas de Barba Azul, aceptó ser su esposa y se casaron con gran boato.

A los pocos días de tratar con atención y mimos a su nueva esposa, Barba Azul le dijo:

—Hoy debo ausentarme todo el día; toma las llaves del palacio. Puedes recorrerlo de arriba abajo, pero te prohíbo terminantemente que entres en el gabinete que hay al fondo del corredor y que se abre con esta llavecita. Si me desobedeces, mi cólera será terrible.

Elisa se dedicó a recorrer todos los compartimentos del palacio, pero al final del día la curiosidad le hizo desear entrar en el pequeño gabinete prohibido. «Mi marido no lo sabrá», se dijo, al tiempo que introducía la llave en la cerradura. La puerta del gabinete se abrió lentamente.

Al principio Elisa no veía nada, pues las ventanas estaban cubiertas; pero en cuanto sus ojos de acostumbraron a la oscuridad, advirtió con horror que varias mujeres degolladas pendían colgadas de la pared. ¡Eran las anteriores esposas de Barba Azul! Llena de espanto, dejó caer la llavecita, que se manchó de sangre.

Corrió a su habitación y se puso a limpiar la llave; pero cuanto más la frotaba, con más viveza volvían a aparecer las manchas. ¡Era una llave mágica!

En cuanto Barba Azul llegó al día siguiente, le dijo a su mujer:

–A ver; enséñame las llaves.

Elisa, temblando de miedo, le entregó el manojo. Barba Azul, al ver la llave encantada, gritó:

—¡Señora, habéis pecado como las demás! Pues bien, moriréis como ellas.

Elisa lloró y suplicó perdón; pero todo fue en vano. Al fin rogó:

—Dadme tiempo al menos para rezar mis oraciones.

—Bien —le contestó Barba Azul—, tenéis un cuarto de hora; después moriréis por haberme desobedecido.

En cuanto Elisa se vio sola en su habitación, llamó a su hermana Ana y le pidió que subiese a la torre y mirase si venían sus hermanos, que debían llegar ese mismo día. Le suplicó que les hiciese señales para que entraran en el palacio a salvarla de una muerte segura.

Ana subió a la torre y vio a Barba Azul, quien blandiendo una gran espada gritaba desde abajo:

—Baja, Elisa, si no subiré yo mismo.

—Un momento, un momento solamente —suplicó Elisa a su marido. Y volvió a preguntar a su hermana:

—Ana, hermana mía, ¿todavía no vienen nuestros hermanos?

Ana le gritó:

—¡Ya vienen, Elisa, ya llegan!

Barba Azul, cansado ya de esperar, subió al cuarto de ésta. Al verle, Elisa se quedó inmovilizada por el terror y no tuvo fuerzas ni para pedir un instante más de plazo. Y ya Barba Azul levantaba su tremenda espada asesina, cuando los hermanos, advertidos por Ana, sacaron sus armas y le traspasaron el corazón de un solo golpe. Al morir Barba Azul, Elisa heredó sus cuantiosas riquezas y llevó a su madre y a su hermana a vivir a palacio, donde fueron muy felices.

Elisa hizo la promesa de no volver a desobedecer jamás las órdenes de su esposo, si alguna vez lo volvía a tener.

El doctor Sabelotodo

Éste era un pobre leñador que ganaba el sustento de su hogar con la leña que acopiaba en el monte; luego la transportaba a la ciudad en una vieja carreta tirada por dos bueyes.

Nuestro hombre se llamaba Cangrejo y era muy trabajador, aunque un poco ingenuo e ignorante.

Cierto día la criada de un médico le compró leña y le rogó que se la llevara a su casa. Cuando Cangrejo llegó, el médico estaba comiendo. El hambriento leñador, suspirando ante los suculentos manjares que veía, pensó que si él fuera médico podría comer y beber lo que quisiera. Y, dirigiéndose al doctor, le preguntó si sería posible que él también fuera médico.

—¡Claro que sí! —le contestó el doctor—. No tienes más que comprarte un abecedario de los que tienen un gallo pintado. Luego te mandas confeccionar dos elegantes trajes y pones en la puerta de tu casa un letrero que diga: «Doctor Sabelotodo», y a esperar clientela. Ya verás.

El ingenuo leñador, que no comprendió la sorna del médico, se despidió dándole las gracias por el consejo y, sin pensarlo dos veces, vendió el carro y los bueyes en el mercado. Con el producto de la venta compró el abecedario y los dos trajes, y muy ufano se fue a su casa, donde colocó en la puerta el letrero que decía: «Doctor Sabelotodo». Y se puso a esperar clientes.

Cierto día llegó a la casa un señor preguntando por el doctor Sabelotodo.

—Yo que todo lo sé, solucionaré su problema. ¡No se aflija, mi buen señor! —le contestó Cangrejo.

El caballero le ofreció una generosa paga si descubría a los rateros que le robaban. Así pues, condujo a Cangrejo a su residencia. Les acompañó también la mujer de Cangrejo, pues el buen leñador no había querido ir sin ella.

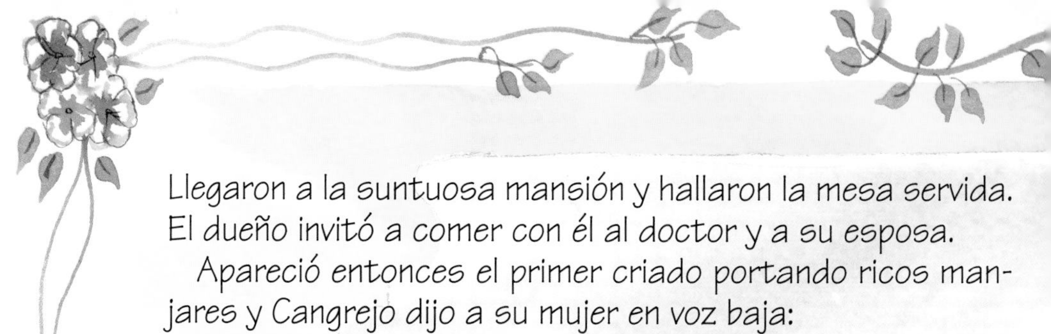

Llegaron a la suntuosa mansión y hallaron la mesa servida. El dueño invitó a comer con él al doctor y a su esposa.

Apareció entonces el primer criado portando ricos manjares y Cangrejo dijo a su mujer en voz baja:

—¡Margarita, ya llega el primero!

Esto se lo decía refiriéndose al primer plato; pero el criado, que era uno de los ladrones, creyó que lo decía por él y, al volver a la cocina, comentó a sus compañeros:

—¡Estamos perdidos! Ese doctor lo sabe todo y ha adivinado que nosotros hemos robado a nuestro amo, pues cuando entré en el comedor dijo a su mujer, en voz baja, que yo era el primero.

Cuando el segundo criado entró a servirles, Cangrejo volvió a decir a su mujer, refiriéndose siempre a los platos:

—¡Margarita, éste es el segundo!

El criado salió lleno de miedo y comentó el percance con sus compañeros. Lo mismo ocurrió con el tercer criado, y al llegar al cuarto, pidió el caballero al doctor Sabelotodo que adivinara lo que el criado traía en la fuente. Al verse en tal apuro, el pobre leñador murmuró afligido:

—¡Pobre Cangrejo!

Y, como en efecto eran cangrejos lo que en la fuente había, creyó el dueño de la casa que el invitado lo había adivinado.

Entonces el criado hizo una seña al falso doctor para que fuera a la cocina, adonde Cangrejo acudió con una disculpa. Allí los criados le confesaron ser los autores del robo, pero dijeron que estaban arrepentidos y que deseaban devolver el dinero. Entonces le ofrecieron una buena recompensa si no les delataba a su amo.

El doctor aceptó y los ladrones le mostraron el lugar donde ocultaban el botín. Cangrejo volvió al comedor y, sentándose, dijo:

—Voy a ver en mi oráculo el sitio donde está escondido el dinero robado.

Y sacó su abecedario, donde empezó a buscar la hoja en la cual estaba pintado el gallo. Pero como pasaba las hojas de dos en dos, no lo encontraba.

—¡Vaya, pues estás ahí y tendrás que salir! —gritó.

Y el quinto criado, que se había escondido detrás de un armario, salió corriendo, creyendo que lo decía por él. Por fin Cangrejo dijo al caballero el sitio donde estaba escondido el dinero, que éste recuperó con gran gozo y asombro.

El doctor Sabelotodo recibió del dueño una fuerte cantidad y otra de los criados, por no haberles delatado, y así se hizo rico y nunca volvió a ser leñador.

La reina abeja

En remotos tiempos hubo tres príncipes hermanos. Los dos mayores eran alegres y alocados y, un buen día, aburridos de la vida que llevaban, salieron en busca de aventuras. Pidieron dinero a su padre, el rey, y partieron. Pero pronto lo gastaron todo en diversiones y, como eran incapaces de trabajar, se vieron en la mayor pobreza.

El más joven de los hermanos, un muchacho serio y juicioso, resolvió acudir en su ayuda, pues hasta palacio habían llegado noticias de su desventura. Cuando los hermanos mayores le vieron aparecer, se echaron a reír. Suponían que aquel muchacho,

pequeño y débil, no podía triunfar en nada, puesto que ellos, grandes y fuertes, habían fracasado.

Un día pasaron cerca de un gran hormiguero y el mayor propuso deshacerlo, por pura diversión. El segundo aprovó la idea, pero intervino entonces el menor:

—¿Por qué hacer daño inútil? Déjenlas que sigan su camino. No permitiré que las molesten.

Como a los dos príncipes no les importaba ni poco ni mucho el asunto, hicieron caso a su hermano menor y siguieron camino. Al cabo de un rato pasaron junto

a un lago donde nadaban mucho patos. El segundo de los hermanos propuso cazarlos para comerlos asados; pero intervino el menor:

—¡Pobres patitos! Déjenlos vivir en paz. No permitiré que los molesten.

Los hermanos se encogieron de hombros y siguieron camino. Llegaron a un bosque y se tendieron a descansar bajo un árbol. Uno de los mayores dijo de pronto, mirando hacia arriba:

—En este árbol hay abejas, la miel corre por el tronco. Encendamos fuego al pie del árbol, las abejas morirán y podremos sacar la miel sin peligro.

—Dejen en paz a esas abejas. No permitiré que las molesten —intervino el hermano menor.

Sin discutir, los dos hermanos mayores obedecieron y siguieron caminando, hasta que un buen día llegaron ante un hermoso castillo. Al acercarse advirtieron que todo estaba silencioso allí. Entraron en la caballeriza y encontraron hermosos caballos, pero de mármol. Recorrieron después todo el castillo, pieza por pieza, sin hallar una sola persona. Llegaron por fin hasta una habitación que no pudieron abrir. Entonces el mayor, que era el más alto, vio una agujerito en la parte superior y miró por él.

Dentro había un anciano sentado ante una mesa bien servida. Le llamó suavemente primero y a gritos después, hasta que levantó los ojos y, al ver al príncipe, abrió la puerta.

Al día siguiente, el anciano llamó al hermano mayor y le mostró una tablilla donde estaba escrita la fórmula para desencantar el castillo. Decía así: «En el bosque están enterradas las mil perlas de la hija del rey. Hay que encontrarlas; pero si al ponerse el sol falta alguna, quien las busque se convertirá en estatua».

Entusiasmado, el príncipe comenzó a buscar las perlas en el bosque; pero al caer el sol no tenía siquiera cien perlas en sus manos, por lo se volvió de mármol. El segundo hermano corrió al otro día la misma suerte.

Sólo quedaba entonces el pequeño príncipe por intentar la aventura, y a poco de empezar su tarea se convenció de que jamás lo conseguiría. Pero las hormigas vinieron en su ayuda, aquellas que él había salvado, y con ellas recogió las mil perlas antes de ponerse el sol.

El anciano le mostró luego otra tablilla que decía: «La llave de la cámara de la princesa debe sacarse del fondo del lago». Pero las aguas eran demasiado profundas. Entonces vinieron en su ayuda los patos, aquellos que él había salvado, y le entregaron la llave.

Pero había aún una tercera tablilla que decía: «El rey tiene tres hijas. ¿Cuál de ellas es la más joven?». Se presentaron ante el príncipe las tres niñas, todas iguales. ¿Cómo podría saber cuál era la más joven? En ese momento al-

guien murmuró en su oído que la más joven había desayunado miel. Y entonces apareció la abeja reina, cuya vida él salvara, y pasando de largo junto a las dos primeras muchachas, se acercó a la que había comido miel.

El príncipe dijo entonces cuál era la más joven y el encantamiento del castillo quedó roto. Poco después se casó con la princesa menor y tuvieron una vida llena de felicidad.

Los cuatro hermanos ingeniosos

Érase un hombre pobre que tenía cuatro hijos. Cuando fueron mayores les dijo:

—Hijos míos, es menester que os marchéis por esos mundos de Dios, pues yo no tengo nada que daros. Id a otras tierras, aprended un oficio y procurad abriros camino.

Los cuatro muchachos se despidieron de su padre y emprendieron el viaje. Pronto llegaron a una encrucijada de la que partían cuatro senderos. El mayor dijo:

—Aquí hemos de separarnos. Dentro de cuatro años volveremos a reunirnos en este mismo lugar. Mientras tanto, que cada uno busque fortuna por su lado.

Tomó cada cual una dirección distinta. Y el primero no tardó en encontrarse con un hombre que le prometió enseñarle su propio oficio, que era el de ladrón.

—Ése no es un oficio honrado —respondió el muchacho.

Pero no tardó mucho en convencerle el ladrón y con aquel hombre aprendió a robar tan hábimente, que todo cuanto deseaba caía de inmediato en sus manos.

El segundo hermano encontró a un hombre que le enseñó el arte de la astrología. Llegó a ser un astrólogo consumado y cuando se despidió de su maestro, éste le entregó un telescopio, diciéndole:

–Con él podrás ver lo que ocurre en la tierra y en el cielo. Nada se ocultará a tu mirada.

El tercer hermano fue adiestrado por un cazador, sacando buen provecho de la enseñanza. Al despedirse, el maestro le entregó una escopeta y le dijo:

–Donde pongas el ojo, allá irá la bala. Jamás errarás un tiro.

Finalmente, el hermano más pequeño encontró a un sastre que le enseñó su oficio y al despedirse le dio una aguja, diciéndole:

—Con esta aguja podrás coser cuanto caiga en tus manos, aunque sea tan duro como el acero, y quedará tan bien unido que no se notará la costura.

Cuando pasaron los cuatro años convenidos, los hermanos volvieron a reunirse en la encrucijada y, después de abrazarse emocionadamente, regresaron a la casa de su padre.

Contó cada uno sus andanzas y el padre escuchó entusiasmado.

–Voy a poneros a prueba –les dijo después–. Quiero ver de lo que sois capaces.

El padre miró hacia la copa de un árbol y señalando con su mano al segundo hijo, añadió:

–En lo alto de ese árbol, entre dos ramas, hay un nido de pinzones. Dime cuántos huevos contiene.

Enfocó el astrólogo su telescopio hacia el nido y respondió:

–Cinco.

Entonces el padre ordenó al mayor que fuera a robar los huevos sin que el pájaro que los estaba incubando lo notase. Así lo hizo el chico.

Colocando los huevos en una mesa, le dijo el padre al cazador:

—Has de partir en dos los cinco huevos de un solo disparo.

Apuntó el hijo con su escopeta y abrió los huevos como su padre le había indicado.

—Ahora tú, el sastre —dijo al pequeño—, los coserás con los polluelos dentro.

Sacó el sastre su aguja y así lo hizo.

El padre, satisfecho y orgulloso, les felicitó por haber aprovechado tan bien el tiempo.

A los pocos días se produjo un gran revuelo en el reino. Un dragón había raptado a la hija del rey y éste pasaba día y noche buscando una solución. Por fin mandó pregonar que quien rescatase a la princesa se casaría con ella.

Los hermanos vieron una gran oportunidad de demostrar sus habilidades. El astrólogo buscó con su telescopio el paradero de la hija del rey y la encontró en una isla muy lejana, custodiada por el dragón.

Preséntose al rey solicitando un barco para él y sus hermanos, y los cuatro se hicieron a la mar. Cuando llegaron, el dragón dormía. Y el cazador dijo:

—No puedo disparar, la princesa está demasiado cerca.

Intervino el ladrón que, deslizándose, se llevó a la doncella con tal ligereza y agilidad que el monstruo no lo notó y siguió roncando. Corrieron todos hacia el barco, pero antes de que se hubieran subido, el dragón se despertó y salió en su persecución. Cuando estaba ya muy cerca y sus resoplidos hacían temblar la tierra, el cazador disparó una bala que fue a atravesar el corazón del monstruo. Pero dio éste tal coletazo,. que el barco se fue a pique y la princesa y los hermanos hubieron de sujetarse a las tablas para no ahogarse. El hermano sastre sacó entonces su aguja maravillosa y con mucho cuidado fue cosiendo las tablas hasta reconstruir el barco.

El rey se puso muy contento cuando vio regresar a los cuatro hermanos con su hija. Y les dijo:

—Uno de vosotros se casará con ella. Decidid vosotros mismos quién ha de ser.

Empezaron a discutir entre ellos. Cada uno argumentó que si no hubiera sido por su habilidad particular no hubieran rescatado a la princesa y, en verdad, todos tenían razón. Por lo cual el rey dictaminó:

—Los cuatro tenéis igual derecho. Pero como la princesa no puede ser de todos, no será de ninguno. En cambio, os daré a cada uno una parte de mi reino.

Cada cual recibió lo que le correspondía y todos vivieron felices en compañía de su viejo padre durante el tiempo que Dios quiso.

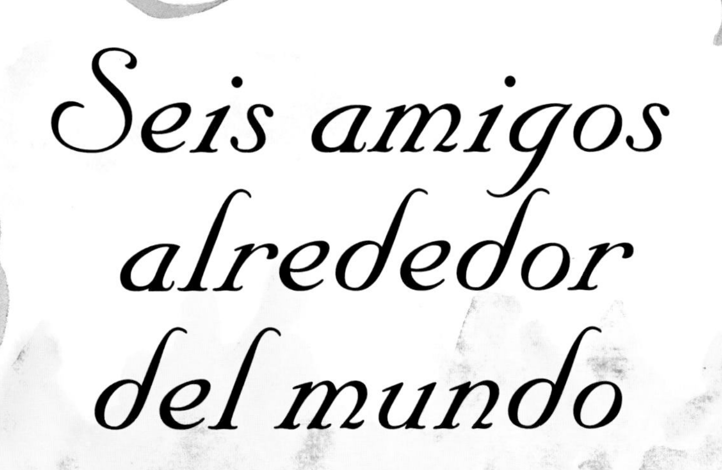

Seis amigos alrededor del mundo

Érase una vez un soldado muy hábil que en el ejército se había mostrado valiente y animoso. Pero al terminar la guerra le licenciaron sin más recompensa que tres reales.

—Muy pronto veréis que de mí no se burla nadie —pensó en voz alta—. En cuanto encuentre los hombres que necesito, no le van a bastar al rey todos los tesoros del país para pagarme.

Marchóse muy irritado y al cruzar un bosque vio a un hombre que acababa de arrancar de cuajo seis árboles con la misma facilidad con que se arrancan los juncos.

—¿Quieres ser mi criado y venirte conmigo? —le propuso el soldado.

—De acuerdo —respondió el hombre—, pero antes deja que le lleve a mi madre este haz de leña.

Cogió uno de los troncos, lo estiró como si fuese una cuerda, y ató con él los demás. Se los cargó después al hombro y se alejó. Al poco rato estaba de vuelta y se pusieron en camino. Ya habían andado un buen rato cuando encontraron a un cazador que, rodilla en tierra, apuntaba con su escopeta. Le preguntó el amo:

—¿A qué apuntas, cazador?

—A dos millas de aquí hay una mosca posada en una rama y quiero acertarla en el ojo izquierdo.

—¡Vente conmigo! —dijo el soldado—. Los tres juntos lo vamos a pasar muy bien.

El cazador se unió a ellos. Pronto llegaron a un lugar donde había siete molinos de viento cuyas aspas giraban a toda velocidad sin que soplara ni una brizna de aire.

Dos millas más adelante vieron en lo alto de un árbol a un hombre que, tapándose una de las ventanas de la nariz, soplaba con la otra.

—¿Qué estás haciendo ahí?

—A dos millas de aquí hay siete molinos de viento y estoy soplando para hacerlos girar.

—Ven conmigo, que los cuatro vamos a pasarlo muy bien —volvió a proponer el soldado.

Bajó del árbol el portentoso individuo y se unió a los otros. Al cabo de un rato se encontraron con un hombre que, habiéndose quitado una pierna, la tenía a su lado mientras descansaba con la otra.

—¿Qué haces en esa extraña postura? —pregúntole el amo.

—Soy rápido de paso y me he desmontado una pierna para no ir tan deprisa, pues si corro con las dos ni los pájaros pueden seguirme.

—Ven conmigo, que los cinco lo vamos a pasar muy bien.

Se marchó con ellos, y al poco rato encontraron a un hombre que llevaba el sombrero inclinado sobre una oreja.

—¿Por qué llevas el sombrero de forma tan original? —le interrogó el soldado.

—Si me lo pongo tapándome la cabeza, empezará a hacer tanto frío que los pájaros caerán al suelo congelados.

—Ven conmigo, que los seis lo vamos a pasar muy bien.

Y el grupo llegó a la ciudad, donde el rey había hecho pregonar que concedería la mano de su hija a quien fuera capaz de vencerla en una carrera. En caso de perder, al aspirante le cortarían la cabeza. El soldado se presentó ante el rey y le dijo:

—Haré que uno de mis criados corra por mí.

—Muy bien, pero tú también has de poner tu cabeza en prenda, de modo que si tu criado pierde, moriréis los dos.

Aceptada la condición, el soldado mandó al corredor que se pusiera la segunda pierna para competir con la princesa.

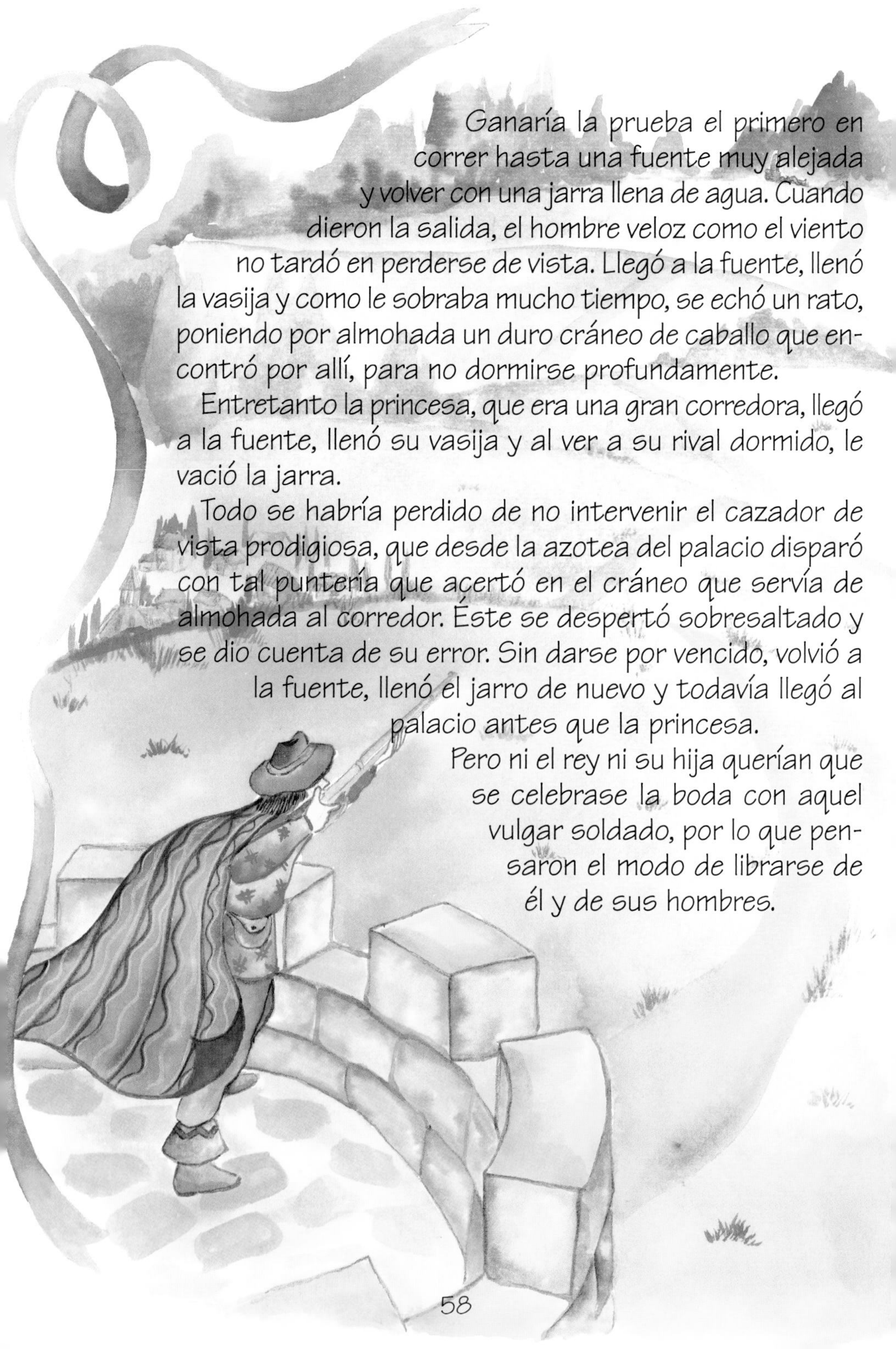

Ganaría la prueba el primero en correr hasta una fuente muy alejada y volver con una jarra llena de agua. Cuando dieron la salida, el hombre veloz como el viento no tardó en perderse de vista. Llegó a la fuente, llenó la vasija y como le sobraba mucho tiempo, se echó un rato, poniendo por almohada un duro cráneo de caballo que encontró por allí, para no dormirse profundamente.

Entretanto la princesa, que era una gran corredora, llegó a la fuente, llenó su vasija y al ver a su rival dormido, le vació la jarra.

Todo se habría perdido de no intervenir el cazador de vista prodigiosa, que desde la azotea del palacio disparó con tal puntería que acertó en el cráneo que servía de almohada al corredor. Éste se despertó sobresaltado y se dio cuenta de su error. Sin darse por vencido, volvió a la fuente, llenó el jarro de nuevo y todavía llegó al palacio antes que la princesa.

Pero ni el rey ni su hija querían que se celebrase la boda con aquel vulgar soldado, por lo que pensaron el modo de librarse de él y de sus hombres.

—Ahora tenéis que celebrar vuestra victoria —dijo el monarca— con un buen banquete.

Condújoles a una sala que tenía el suelo y las puertas cubiertas de hierro y cuyas ventanas estaban protegidas por gruesos barrotes. En la mesa se habían servido suculentas viandas.

Cuando estuvieron dentro, el rey cerró las puertas y echó los cerrojos. Luego ordenó al cocinero que encendiese un gran fuego debajo de la habitación hasta conseguir que la chapa se pusiese al rojo vivo. Los comensales empezaron a sentir un calor sofocante y al intentar salir de la habitación constataron que estaban encerrados y que el rey les había tendido una trampa.

—¡Pues no va a salirse con la suya! —exclamó el del sombrero—. Voy a provocar tal helada que el fuego se retirará avergonzado.

Y tras haberse cubierto la cabeza con el sombrero, no tardó en hacer un frío tan terrible que la comida se congeló en los platos.

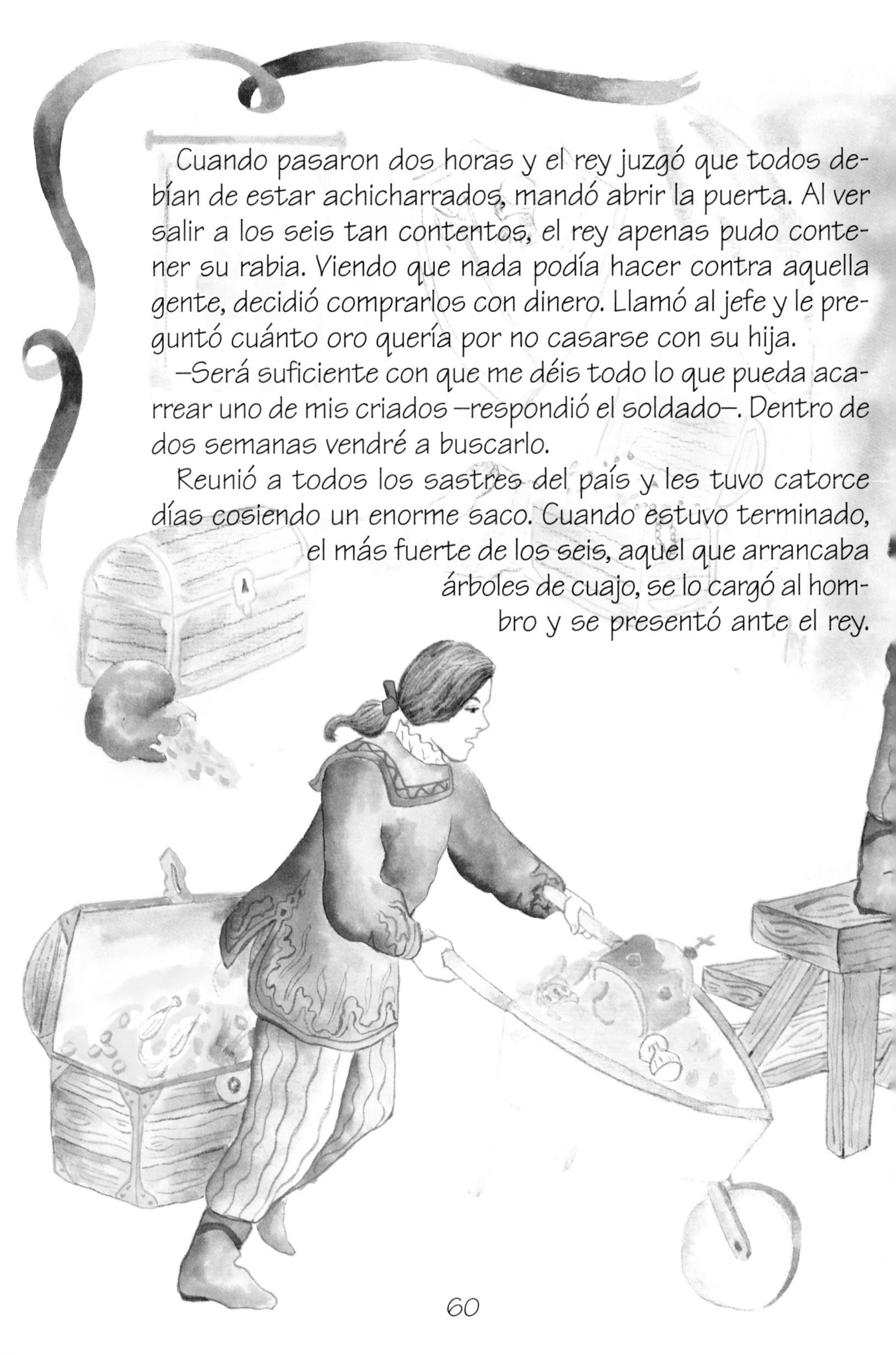

Cuando pasaron dos horas y el rey juzgó que todos debían de estar achicharrados, mandó abrir la puerta. Al ver salir a los seis tan contentos, el rey apenas pudo contener su rabia. Viendo que nada podía hacer contra aquella gente, decidió comprarlos con dinero. Llamó al jefe y le preguntó cuánto oro quería por no casarse con su hija.

—Será suficiente con que me déis todo lo que pueda acarrear uno de mis criados —respondió el soldado—. Dentro de dos semanas vendré a buscarlo.

Reunió a todos los sastres del país y les tuvo catorce días cosiendo un enorme saco. Cuando estuvo terminado, el más fuerte de los seis, aquel que arrancaba árboles de cuajo, se lo cargó al hombro y se presentó ante el rey.

—¡Vaya hombre fornido! —dijo el soberano—. ¿Cuánto oro será capaz de transportar en esa bala?

Ordenó que trajeran una tonelada de oro, pero el forzudo la levantó con una sola mano y la guardó en el saco.

—¿Por qué no traéis más? ¡Esto apenas llena el fondo! —protestó.

Y así el rey tuvo que entregar poco a poco su tesoro, que sólo consiguió llenar la mitad del saco.

—¡Que me traigan más! —gritaba el forzudo—. ¿Qué hago yo con estos puñaditos?

Hubo que enviar carretas a todo el reino y se cargaron de oro siete mil. El forzudo las metió en el saco junto con los bueyes que las arrastraban.

—No seré exigente y meteré lo que venga con tal de llenar prontamente el saco —comentaba.

Cuando ya no quedaba nada por cargar, dijo:

—Terminemos de una vez. Bien puede atarse un saco aunque no esté lleno.

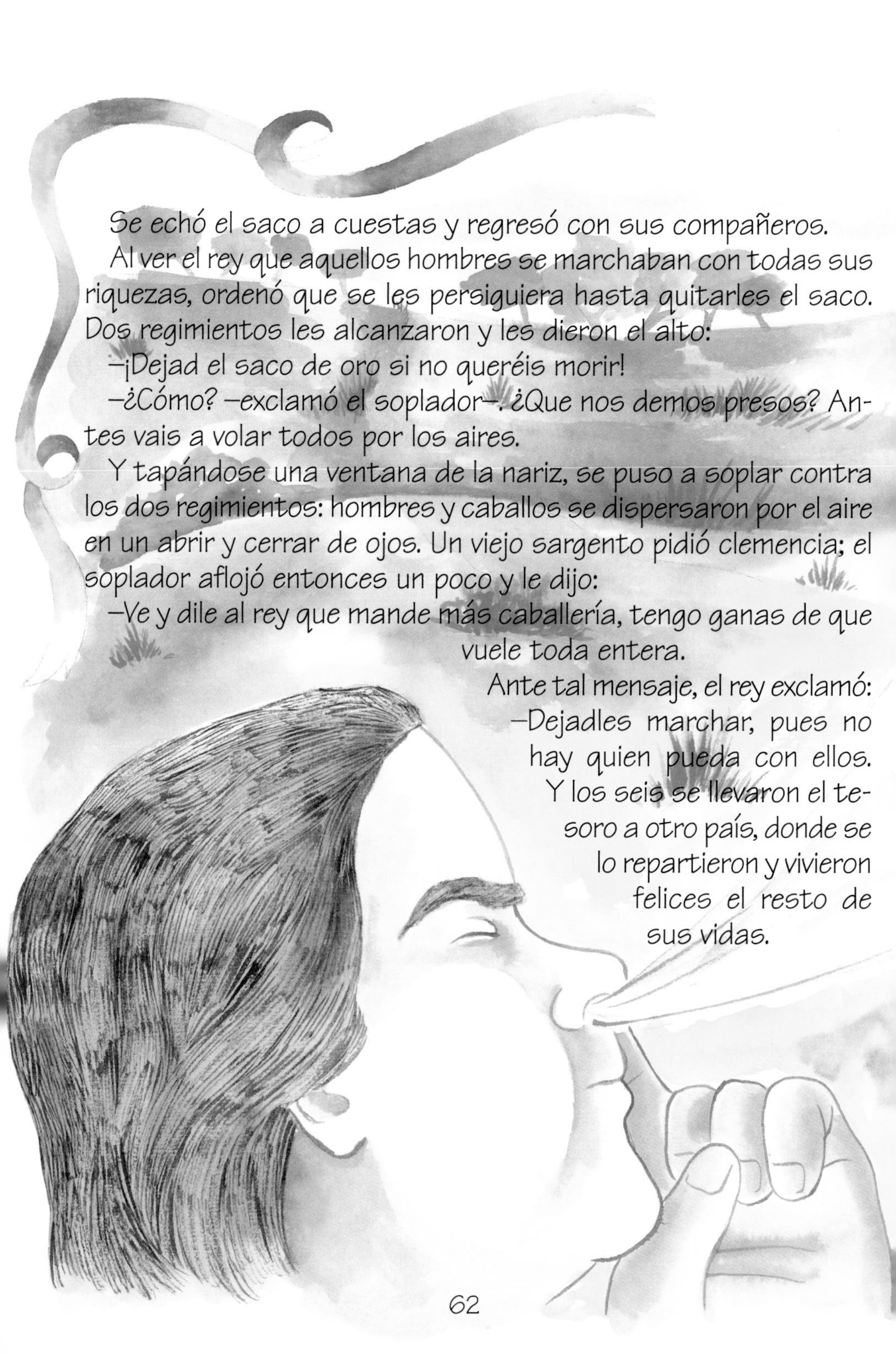

Se echó el saco a cuestas y regresó con sus compañeros.

Al ver el rey que aquellos hombres se marchaban con todas sus riquezas, ordenó que se les persiguiera hasta quitarles el saco. Dos regimientos les alcanzaron y les dieron el alto:

–¡Dejad el saco de oro si no queréis morir!

–¿Cómo? –exclamó el soplador–. ¿Que nos demos presos? Antes vais a volar todos por los aires.

Y tapándose una ventana de la nariz, se puso a soplar contra los dos regimientos: hombres y caballos se dispersaron por el aire en un abrir y cerrar de ojos. Un viejo sargento pidió clemencia; el soplador aflojó entonces un poco y le dijo:

–Ve y dile al rey que mande más caballería, tengo ganas de que vuele toda entera.

Ante tal mensaje, el rey exclamó:

–Dejadles marchar, pues no hay quien pueda con ellos.

Y los seis se llevaron el tesoro a otro país, donde se lo repartieron y vivieron felices el resto de sus vidas.

Pulgarcito

Debido a su extrema pobreza, una pareja de leñadores decidieron deshacerse de sus siete hijos. Esta terrible determinación fue escuchada una noche por el menor de los niños, que no era más grande que un dedo pulgar, razón por la que todos le llamaban Pulgarcito.

Pero como Pulgarcito sabía lo que iba a ocurrir, a la mañana siguiente se llenó los bolsillos con piedrecillas blancas y mientras avanzaban por el bosque las fue arrojando en el sendero. Al caer la tarde, cuando sus hermanitos se echaron a llorar porque no encontraban a su padre y estaban perdidos, el pequeño les dijo:

—No lloréis, hermanitos. Yo sé encontrar el camino.

Y siguiendo la hilera de piedrecillas blancas que había arrojado por la mañana, volvieron a casa.

Los padres, aunque su triste plan había fracasado, se alegraron de volverlos a ver. Pero la miseria no dejaba otra opción y días después regresaron al bosque. Esta vez el padre vigiló a Pulgarcito para que no pudiera recoger piedras. Sin embargo, el astuto niño se guardó un pan en el bolsillo y fue echando las migas por el sendero.

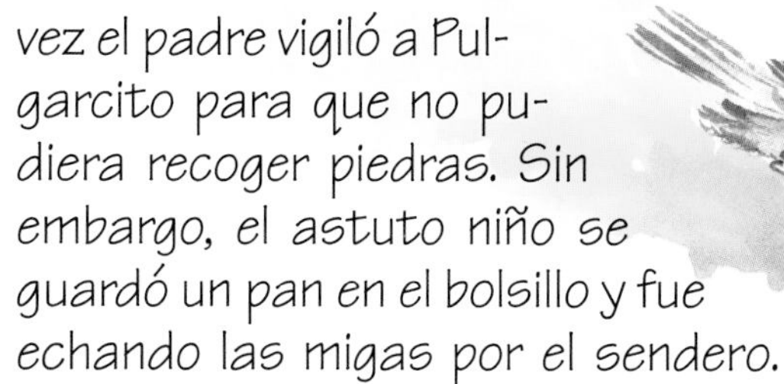

Al caer la noche, los niños se echaron a llorar al verse perdidos, y Pulgarcito les dijo:

—No lloréis, hermanitos. Yo puedo hallar el camino.

Pero inútilmente buscó las migas que había dejado por la mañana: los pájaros se las habían comido. Los niños dieron vueltas y vueltas por el oscuro bosque.

Se le ocurrió a Pulgarcito trepar a lo más alto de un árbol para ver a lo lejos. Pronto divisó una luz y dio un grito de alegría. Guió a sus hermanitos hacia el sitio donde había visto una casita, y allí golpearon tímidamente en la puerta. Asomó la cabeza una anciana de bondadoso rostro a quien Pulgarcito le explicó que se habían extraviado. La mujer movió la cabeza con pena y dijo:

—Queridos, aquí no podéis quedaros. En esta casa vive un ogro que devora niños.

Los pequeños se asustaron al oírla, pero más podía su cansancio y suplicaron a la anciana que los hospedara por esa noche, prometiéndole estar todos muy calladitos.

La buena mujer los hizo pasar y les dio de comer. Luego escondió los restos de la cena y les aconsejó que se metieran debajo de la cama.

Al rato sintieron fuertes pasos y la puerta se abrió de golpe. El ogro se enfureció al ver que la comida no estaba en la mesa. La pobre anciana le trajo velozmente la cena y el ogro comió con apetito.

Después se repantigó en un sillón y se puso a husmear el aire.

—¿Quién ha estado hoy aquí? —refunfuñó—. Huele a niño.

Y, buscando por toda la casa, encontró a los niños debajo de la cama.

—¡Qué apetitoso banquete me voy a dar! —exclamó.

La temerosa anciana logró convencerle de que era mejor guardar los niños para el día siguiente, pues ya había cenado.

Pero Pulgarcito no podía dormir, pensando en cómo salir de allí. Pronto se le ocurrió una idea: despertó

con cuidado a sus hermanitos y por señas les condujo hasta la cama donde dormían las siete hijas del ogro. Les hizo cambiar sus gorros de dormir por las coronitas que llevaban las niñas y en seguida volvieron a acostarse.

El ogro despertó de hambre a media noche y acordándose de los siete niños, se levantó y fue al dormitorio. Al ver el gigante los gorritos de dormir, creyó que eran los niños y los engulló uno por uno. Pero en realidad, a quienes devoró fue a sus hijitas.

En cuanto Pulgarcito vio que el ogro volvía a dormirse, despertó a sus hermanos y huyeron.

A la mañana siguiente comprendió el fatal error y tuvo un ataque de furia. Se puso sus botas mágicas y salió en persecución de los niños, a los que alcanzó muy pronto; pero éstos se escondieron en el hueco de un árbol. El ogro se echó a descansar y se quedó dormido.

Pulgarcito hizo salir del escondite a sus hermanos y les ordenó que volvieran corriendo a casa. Luego con gran cuidado le quitó al ogro las botas mágicas, se las puso y se lanzó a recorrer mundo.

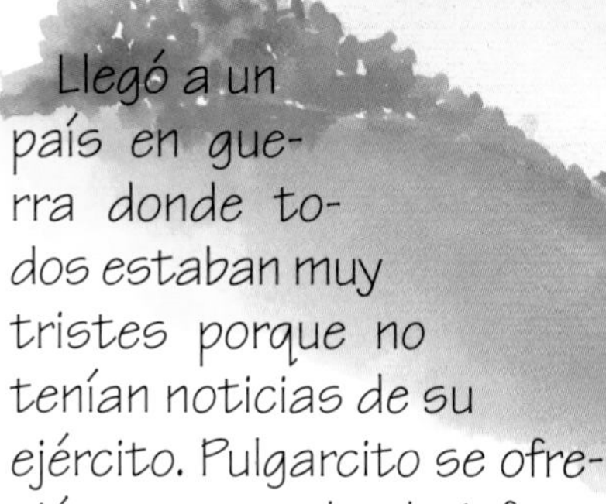

Llegó a un país en guerra donde todos estaban muy tristes porque no tenían noticias de su ejército. Pulgarcito se ofreció para traerles la información que necesitaban y, gracias a las botas de las siete leguas, llegó veloz al lugar de la batalla, donde se enteró del triunfo del ejército de sus amigos. Regresó con la buena nueva y el pueblo le recibió con aclamaciones. En agradecimiento, el rey le nombró mensajero real y le dio gran cantidad de dinero.

De vuelta a su hogar Pulgarcito pudo proporcionar a sus padres y hermanos todo cuanto les hacía falta.

Piel de asno

Érase una vez un rey que vivía muy dichoso junto a su bella y virtuosa reina y su preciosa hija. Poseía este rey además un gran tesoro: un asno mágico cuyo lecho de paja aparecía cada mañana cubierto de oro.

Tanta dicha se truncó el día en que una terrible enfermedad atacó a la reina. Antes de morir, ésta hizo jurar a su esposo que no volvería a casarse si no era con una mujer más bella y mejor formada que ella.

Pasado un tiempo se reunieron los nobles del reino para pedir al rey que se casara de nuevo, pues querían un heredero varón. El rey, a pesar del juramento hecho a su esposa, tuvo que ceder a las presiones de sus súbditos.

Pero no halló entre todas las princesas ninguna que reuniera tantas virtudes como su amada esposa.

Un aciago día, el rey se dio cuenta de que la infanta, bella y muy bien instruida, era la única mujer capaz de sobrepasar a su madre. El corazón del rey se agitó con tal violencia que pidió a su propia hija en matrimonio. La princesa se arrojó a los pies de su padre y le imploró que no la obligase a cometer tal crimen. Pero el rey, cegado por el fuego del amor, no veía obstáculo para el inmoral enlace.

La princesa, desesperada, recurrió al Hada de las Lilas.

—Sería una grave falta que te casaras con tu padre —le dijo el hada—; pero podrás evitarlo si le pides como condición que te regale un vestido del color del tiempo; le será imposible conseguirlo.

Al día siguiente la infanta le pidió tal vestido al rey, pero éste consiguió que los mejores artesanos del reino hicieran un traje azul como el mismo cielo. Y sucesivamente fue capaz de hacerse también con un vestido del color de la luna y hasta con un vestido tan reluciente como el sol. El rey había vencido así los desafíos de su hija.

La triste infanta lloraba desesperada ante su hada madrina.

—Esta prueba no la superará el indigno amor de tu padre —dijo el hada—. Pídele la piel del asno, que es la fuente de su riqueza.

Creyendo que el rey no sería capaz de sacrificar su asno, la infanta le hizo saber su deseo. Aunque le apenó mucho tal capricho, accedió y pronto le llevaron la piel a la infanta. Ésta, no viendo ya remedio a su infortunio, desesperó.

El hada acudió para darle un último consejo:

—Envuélvete en esta piel, sal de palacio y ve tan lejos como puedas. Allá donde vayas, este cofre, que contiene tus ropas y alhajas, seguirá tus pasos mágicamente.

Y la joven, disfrazada con aquella fea piel y con el rostro cubierto de hollín, logró escapar de palacio.

El rey envió a sus mejores hombres a buscar a la infanta, pero nadie logró encontrarla, pues había llegado muy lejos buscando refugio.

Sucia y fea como estaba, oculta bajo la piel del asno, acabó trabajando en una granja donde sufría las burlas de toda la servidumbre. Para aliviar su pesar, los días festivos se encerraba en su cabaña y se adornaba con las mejores galas que guardaba en el cofre.

Ocurrió que uno de estos días, el hijo del rey a quien pertenecía la granja se detuvo allí para descansar. Tras una abundante comida, el joven y apuesto príncipe dio un paseo por la finca, llegando a parar a la cabaña de la princesa. La curiosidad le incitó a mirar por la cerradura: vio allí tanta belleza y esplendor, que quedó prendado. Preguntó en la granja quién vivía en la cabaña y la respuesta le dejó atónito.

El príncipe regresó al palacio locamente enamorado y sin poder olvidar ni un instante su turbadora visión. La conmoción causada por el

fuego del amor le produjo una fiebre tan terrible que puso en peligro su vida. Los médicos achacaron su enfermedad a la melancolía y sus pobres padres suplicaban al príncipe que confesara el motivo de su pesar. Tras mucho insistir, con voz débil habló el príncipe:

—Madre, tan sólo deseo que la muchacha a la que llaman Piel de Asno prepare un pastel para mí.

La reina hizo venir a la mugrienta Piel de Asno, que también estaba enamorada del príncipe desde el momento en que le vio marchar desde la ventana. La joven preparó un delicioso pastel, pero se le cayó en la masa una valiosa sortija que llevaba en el dedo.

Aunque no le permitieron ver a Piel de Asno, el príncipe se comió ávidamente su pastel: por poco se atraganta con la sortija. Examinó la fina esmeralda y el estrecho aro de oro, y pensó que sólo podía servir al dedo más bonito del mundo.

La ansiedad empeoró su enfermedad. Los reyes no sabían ya qué hacer, hasta que con un hilo de voz el príncipe pidió que buscaran a la dama a quien sirviera la sortija.

Todas las jóvenes acudieron a probársela; las princesas primero; luego duquesas, marquesas y baronesas; pero a ninguna le valía. Finalmente llamaron a las mujeres más humildes, y llegó el turno de Piel de Asno.

Ante el asombro de los asistentes, bajo la piel negra y grasienta asomó una mano pequeña y delicada en la que la sortija se ajustó sin esfuerzo.

En ese momento la joven se retiró el sucio disfraz y todos

quedaron pasmados de su belleza. Apareció entonces el Hada de las Lilas y contó la triste historia de la infanta.

El rey y la reina, encantados de ver que Piel de Asno era una gran princesa, accedieron a los deseos de su hijo de casarse. La princesa quiso que asistiera a la fastuosa ceremonia su padre, que felizmente ya había olvidado su desatinado amor y se había casado con una reina viuda, muy bella.

Las celebraciones del matrimonio duraron cerca de tres meses y el amor de los dos esposos duraría aún, tanto se querían, si no hubieran muerto cien años después.

Grisélida

Había una vez un rey que sentía una extraña aversión hacia las mujeres, por lo que se negaba a casarse, a pesar de reconocer la conveniencia de elegir una esposa para asegurarse un heredero.

El monarca afirmaba que, por desgracia, no existía una mujer lo suficientemente abnegada, inteligente y bella como él deseaba, y que no aceptaría a una joven a quien le faltaran estas cualidades.

Cierto día salió el rey de caza y tanto empeño puso en la persecución de un ciervo herido, que se desvió del camino y se alejó de sus acompañantes. Apenas hubo avanzado unos pasos en el bosque, cuando vio sentada junto a un árbol a la más bella criatura que imaginarse pueda. Era ella una simple pastorcilla, pero sus suaves modales, la mirada tan dulce y su aspecto recatado hicieron al rey olvidar su antipatía por las mujeres y se

enamoró locamente de ella. En los días sucesivos visitó a la pastora, que se llamaba Grisélida y vivía con su padre en una modesta cabaña. Tantas virtudes descubrió el soberano en la linda zagala, que decidió casarse con ella.

Poco tiempo después se celebró la boda y el pueblo entero quedó prendado por el dulce encanto de la joven Grisélida.

Al año, los felices esposos tuvieron una niña tan linda como su madre que hizo enormemente dichoso al rey.

Pero como no hay dicha completa, sin motivo alguno, se despertó en el rey su antigua aversión por las mujeres y le dio por pensar que todo lo que hacía y decía Grisélida era falso. Pero como la conducta de la reina era intachable, se dijo: «La someteré a las más duras pruebas y así comprobaré si su virtud es firme o fingida».

Y alentado por este insensato deseo, separó a Grisélida de su hijita y le ordenó que devolviese todas las joyas que le había entregado.

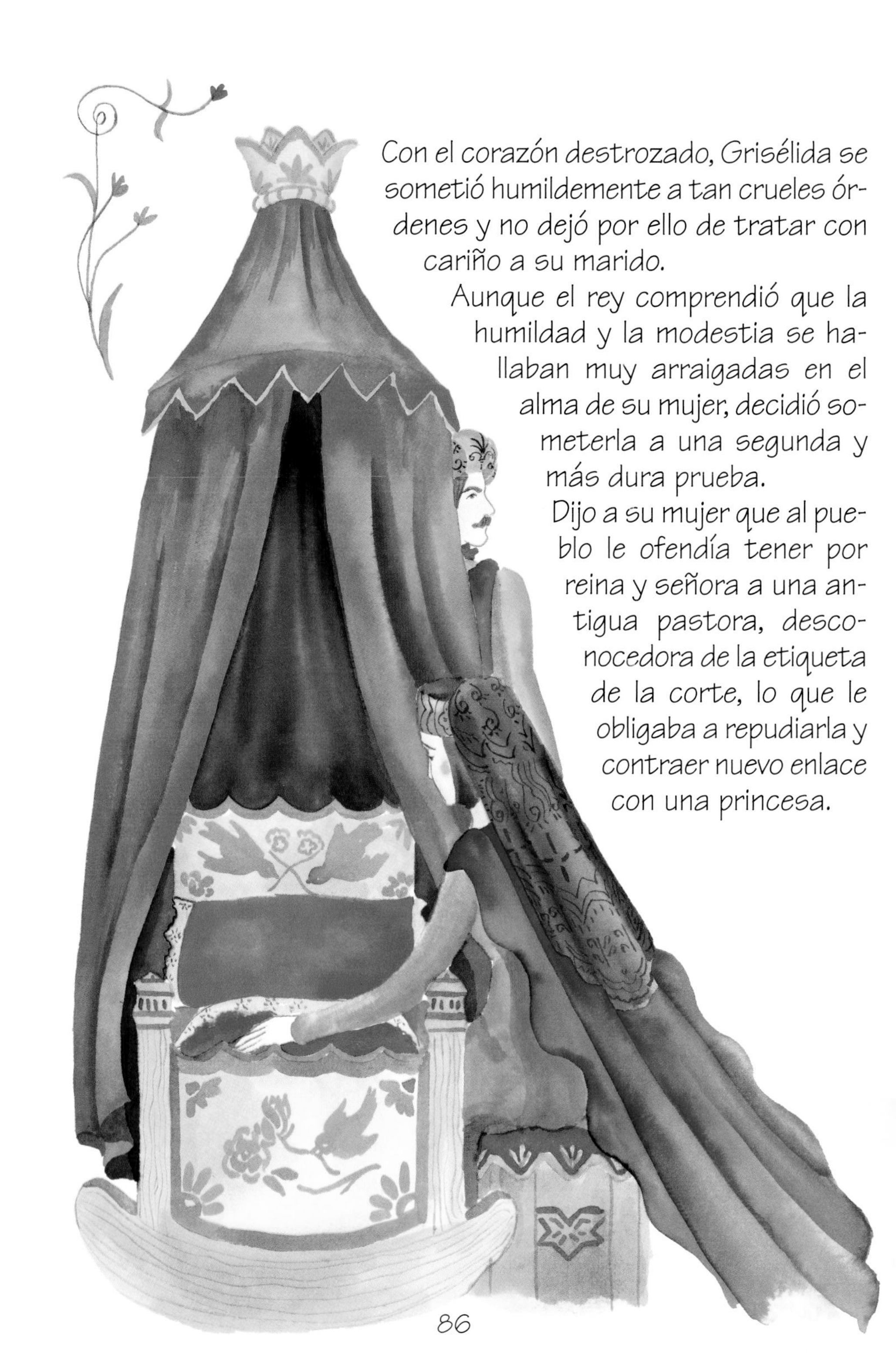

Con el corazón destrozado, Grisélida se sometió humildemente a tan crueles órdenes y no dejó por ello de tratar con cariño a su marido.

Aunque el rey comprendió que la humildad y la modestia se hallaban muy arraigadas en el alma de su mujer, decidió someterla a una segunda y más dura prueba.

Dijo a su mujer que al pueblo le ofendía tener por reina y señora a una antigua pastora, desconocedora de la etiqueta de la corte, lo que le obligaba a repudiarla y contraer nuevo enlace con una princesa.

Grisélida tuvo que abandonar el palacio y regresar a su humilde cabaña. Sin hacerle ningún reproche, obedeció las órdenes de su esposo y retornó a la pobre cabaña del bosque. La santa y humilde mujer sufría lo indecible, pero no por haber perdido el lujo del palacio real, sino por verse separada de su esposo y de su hija.

De esta manera Grisélida retornó a los rudos trabajos de sus primeros años. Pero unas semanas más tarde quiso Dios que terminara tan dura prueba para la joven. Un día que se encontraba tejiendo, sentada debajo de un árbol, se presentó ante ella el rey con su comitiva y, cogiéndola tiernamente de la mano, exclamó:

—Nobles caballeros: tenéis por soberana a la mujer más virtuosa y quiero que siempre la honréis como se merece. Y tú, mi buena Grisélida, esposa mía, perdóname por someterte a tan duro examen para probar tu virtud; te prometo que de ahora en adelante serás la reina más respetada y la mujer más amada.

Así fue, en efecto, por lo que la abnegada soberana recuperó a su preciosa hijita y gozó del amor, el respeto y la admiración de su esposo.

Lluvia de estrellas

Hubo una vez una pequeña aldeana que era huérfana y además no tenía hermanos, a pesar de lo cual la chiquilla vivía alegre y era bondadosa como pocas.

Un día abandonó la aldea y marchó a la buena de Dios confiando mejorar su suerte. Llevó con ella sus únicas pertenencias: la ropa que vestía y un trozo de pan.

Por el camino encontró a un mendigo, que le dijo:

—Por favor, pequeña, dame algo de comer.

La niña se compadeció de él y le entregó el pedazo de pan. Prosiguió su andadura y al cabo de un rato se acercó a ella un chiquillo, que le dijo:

—Tengo mucho frío y me duele la cabeza. ¿No podrías dejarme tu gorro?

—Te lo regalo —contestó con generosidad.

Poco después vio a una niña muy pequeña tiritando de frío, casi desnuda, que la miraba con ojos tristes. La huerfanita tuvo piedad de ella y le dio su chaqueta y su falda.

Ya era de noche y nevaba copiosamente cuando la pequeña se adentró en un bosque con idea de pasar la noche allí.

Entonces otra niña, cobijada al amparo de un árbol, le pidió su camisa, pues ya no soportaba el frío. Y como le dio mucha pena, la huérfana también se despojó de la camisa.

Y así quedó la pequeña a merced de un viento helado que iba congelando su cuerpecito. Pensó que moriría de frío en poco tiempo y se puso a rezar.

Pero de pronto, inexplicablemente, se desprendieron del firmamento miles de estrellas, como una lluvia deslumbrante, y al posarse sobre la nieve las estrellas se convirtieron en monedas de oro.

Y la generosa niña, que había dado a los demás todo lo que tenía, se vio cubierta por un abrigo de piel, también llovido del cielo...

Llenó sus bolsillos de monedas de oro y ya nunca pasó hambre ni frío. Fue siempre una niña muy feliz.

Federico y Catalina

Apenas se miraron a los ojos, Federido y Catalina quedaron prendados el uno del otro, fue lo que se llama «amor a primera vista». Y poco después se casaron. Se querían y se llevaban muy bien; no obstante, Federico pronto se dio cuenta de que su consorte era simple y tonta. Se consolaba pensando que algún día cambiaría.

Un día tuvo él que salir al campo a trabajar y le encargó a su mujer:

–Catalina, yo debo salir al campo. Regresaré tarde y espero que la cena esté preparada cuando vuelva.

Así lo prometió su mujer y Federico partió con la azada al hombro. Al caer la tarde, Catalina se dispuso a hacer la cena. Tomó un hermoso trozo de carne y lo puso al fuego, dándole la vuelta de tanto en tanto para que no se quemara. De pronto, le asaltó un pensamiento.

–Mientras la carne termina de asarse, iré al sótano a buscar cerveza. Así ganaré tiempo y cuando mi marido vuelva, estará todo listo en la mesa.

Tomó una jarra y bajó al sótano, donde, en un tonel, guardaban la cerveza.

Estaba cayendo el líquido por el canuto cuando a Catalina le asaltó otro pensamiento.

—¡Qué horror! —gritó—. He dejado la carne asándose y si entra el perro puede llevársela.

Llena de temor, corrió escaleras arriba y halló que, en efecto, el perro huía con el trozo de carne en el hocico. Catalina no pudo darle alcance y, desolada y sin poder hacer nada por su comida, volvió al sótano. Aquí algo peor le esperaba: como olvidó cerrar la llave del barril, se había salido toda la cerveza.

Catalina pensó que todo se arreglaría echando un poco de harina al suelo para que absorbiese la cerveza. Regresó el marido, cansado y hambriento, y preguntó por su cena. Catalina suspiró, le dio un beso y le relató lo sucedido. Federico se lamentó:

—¿De modo que has perdido la carne, has volcado la cerveza y has estropeado la harina?

—Pero Federico —protestó ella—, si hice mal, tú tienes la culpa. Debiste decirme antes lo que debía hacer.

El marido trató de serenarse. Después de todo, su mujer era una niña y él debía enseñarle.

Unos días después, recordando lo sucedido, decidió ser más prudente. Puso en un saquito unas monedas de oro ganadas en su trabajo y le dijo a Catalina:

—He guardado en este saquito unos botones amarillos; voy a enterrarlo en el jardín para que no se pierda. No te acerques nunca a ese lugar, ni se te ocurra sacar esto de allí.

Catalina así se lo prometió. Pero estando Federico ausente, pasaron por la casa dos pillos que vendían cacerolas. Catalina les dijo que no podía comprar, porque su marido no le dejaba dinero.

—Todo cuanto tengo —dijo— son unos botones amarillos que mi marido enterró en el jardín.

Los pícaros quisieron ver de qué se trataba. Catalina les indicó el sitio, con mucho cuidado de no acer-

carse, como había prometido, y cuando vieron que se trataba en realidad relucientes monedas de oro, cogieron el saquito y partieron dejando a cambio ollas y cacerolas. Catalina se las mostró encantada a Federico cuando regresó. Cuando él quiso saber cómo las había pagado, Catalina le contó lo sucedido, remarcando bien que ella no se había acercado para nada al lugar ni había desenterrado los botones. El pobre hombre se tiró de los cabellos.

—Si procedí mal, tú tienes la culpa. Debiste advertírmelo antes. Pero ahora —dijo ella—, vayamos a agarrar a los pillos.

Así pues, se dispusieron a salir en su busca. Previendo una ausencia larga, Federico ordenó a su mujer que llevara pan, mantequilla y queso. Tomaron un sendero tan estrecho que los carros al pasar habían arrancado trozos de los árboles. A Catalina le dio pena y para curarles untó con mantequilla los árboles heridos. Así gastó toda la mantequilla, y así, ocupada en esa tarea, uno de los quesos que llevaba en el bolsillo escapó y rodó colina abajo. No pudo recuperarlo y entonces sintió pena por el otro

queso, que iba a quedarse tan solo. De modo que lo envió camino abajo para que se reuniera con su compañero. Muy satisfecha de su buena acción, siguió caminanando detrás de su marido. Poco después, Federico sintió hambre y pidió comida. Ella le ofreció un trozo de pan.

—Dame mantequilla y queso —dijo.

Cuando Catalina le explicó lo que había hecho con la mantequilla y el queso, él creyó que se moría. ¿Era posible que su mujer fuera tan tonta?

—Yo no tengo culpa, Federico. Debiste advertírmelo antes.

Federico trató de calmarse; pero, de pronto, le asaltó una duda.

Preguntó a Catalina si al salir había cerrado la puerta. Ella contestó que no, puesto que él nada le había dicho. Federico le ordenó entonces que fuera a asegurarla y que trajera más provisiones. Obedeció la mujer y volvió a casa, donde sólo encontró nueces y vinagre. Cogió estas provisiones y, queriendo hacer algo que agradara a su marido, pensó: «Él me dijo que asegurara la puerta. En ninguna parte estará más segura que con nosotros, así que me la llevo». Quitó las bisagras, cargó con la puerta y volvió junto a Federico.

Cuando el marido la vio aparecer así, puso el grito en el cielo. No solamente había dejado la casa abierta, sino que aquel peso les estorbaría en el camino. Y, muy enojado, dijo:

—¡Puesto que has sido tan tonta, carga tú con la puerta!

De este modo Catalina cargó la puerta, las nueces y el vinagre. Federico le dejó hacer pensando que algún día cambiaría. Siguieron caminando y como llegara la noche, decidieron esperar el amanecer subidos en un árbol.

Estaban por dormirse, cuando sintieron voces debajo del árbol y al mirar vieron con sorpresa a los dos pillos que tenían la bolsa de oro.

Federico cogió las nueces y comenzó a arrojarlas con furia sobre las cabezas de los facinerosos, quienes, asustados, dijeron: «¡Está granizando!».

Catalina ya no podía soportar más el peso de la puerta y así se lo dijo a su marido, que la arrojó sobre los pillos con inmensa furia. Los bandidos huyeron enloquecidos, pidiendo socorro a gritos. Pero en la huida abandonaron el saquito con las monedas de oro que habían robado. Cuando bajaron del árbol Catalina y Federico, y comprobaron que el dinero estaba intacto, se dieron un fortísimo abrazo, pues, pensó Federico, «no hay mayor felicidad que recuperar el dinero intacto, aunque mi mujer sea tonta».

Los tres deseos

Un honrado leñador estaba casado con una mujer hermosa e inteligente. Pero, por desgracia, eran pobres y contemplaban con envidia las riquezas de sus vecinos.

—¡Ah, qué felices seríamos con sólo la mitad de lo que ellos tienen! —suspiraba la mujer.

—¡Ojalá existieran los genios buenos que satisfacen todos los deseos! —exclamaba el marido.

Aquel día el leñador fue al bosque, como de costumbre, escogió un árbol de bello porte, levantó el hacha y dio un golpe en la base del tronco. En ese instante un relámpago surcó el cielo y en medio del resplandor surgió una extraña figura. El leñador, sobrecogido, cayó de rodillas.

—¡Levántate! —exclamó una voz—. Soy Júpiter, el dios del rayo. He oído tus quejas y vengo a concederte tres deseos, pero sólo tres, ni uno más.

Y, dicho esto, desapareció. El leñador fue corriendo a casa para contarle todo a su mujer.

—Tenemos que pensarlo bien —dijo ella—. La verdad es que necesitaría una docena de deseos para quedar satisfecha... ¿por dónde empezar?

—Lo mejor sería desear riqueza —exclamó el leñador—. Así tendríamos cuanto deseáramos.

—Pero, ¿de qué serviría mucha riqueza si enfermáramos y muriéramos? —respondió la mujer—. Más vale desear salud y larga vida.

—Una vida larga y miserable es cosa bien triste. ¡Más tiempo de desgracias!

Mientras discutían, la mujer puso al fuego una triste olla con caldo para la cena. El leñador, que empezaba a sentir verdadero apetito, exclamó:

—¡Ah, quién me diera una ristra de salchichas para cenar!

Apenas acababa de pronunciar estas palabras cuando una ristra de salchichas cayó de la chimenea.

—¡Serás estúpido! —se enfadó la mujer—. ¡Salchichas, salchichas! ¿No tenías nada mejor que desear? ¡Bonita manera de utilizar uno de los tres deseos! Cuando las hayamos comido, ¿qué ganaremos? ¡Ah, qué desgracia, qué desgracia!

El leñador perdió la calma, dio un golpe en la mesa y dijo:

—¡Basta de lamentos! ¡Ojalá una salchicha se te pegara en la nariz, así tendrías una buena razón para quejarte!

Por hablar de nuevo sin pensar, la última salchicha de la ristra soltóse de las otras y se pegó fuertemente en la nariz de la pobre mujer, de donde no fueron capaces de despegarla.

—¡Yo no pretendía hacerte ningún mal! —se lamentó el leñador—. Tan sólo me resta un deseo: pediré riqueza y te ofreceré un estuche de oro para que escondas esa maldita salchicha que ha aparecido por culpa de mi poca cabeza.

—¡No se te ocurra hacer eso! —exclamó la mujer, aterrorizada—. No podría vivir con esa horrible cosa en la nariz, antes preferiría morir.

—¡No digas eso! —gritó el leñador, que amaba a su mujer y estaba arrepentido de su insensatez—. Deseo que la salchicha que tienes pegada a la nariz caiga de nuevo al suelo inmediatamente.

Dicho y hecho, la salchicha cayó al suelo de la cocina.

–Somos tan pobres como antes, pero al menos no somos más infelices de lo que éramos –exclamó la mujer, quien lanzó un profundo suspiro de alivio–. La riqueza tal vez no nos trajera la felicidad. El dios Júpiter ha querido darnos una lección. No deseemos nada más y comamos estas ricas salchichas caídas del cielo.

El leñador abrazó a su mujer y ambos cenaron alegremente y se conformaron con lo que ya poseían.

Verdezuela

Hace muchos años, vivía un matrimonio que no tenía hijos, aunque mucho los deseaba. Por fin un día la mujer supo que iba a ser madre.

La casa en que vivían tenía en la pared trasera una ventanita que daba a un jardín, pero estaba rodeado de un alto muro y nadie osaba entrar en él, pues pertenecía a la bruja Gohel.

Un día se asomó la mujer a aquella ventana para contemplar el jardín y vio un bancal plantado de

hermosísimas verdezuelas, tan frescas y verdes que le entraron unas ganas terribles de comerlas.

El antojo aumentaba con el paso de los días y viendo la mujer que sería imposible de satisfacer, empezó a perder el color y enfermó. Su marido, asustado, le preguntó:

—¿Qué te ocurre, mujer?

—¡Ay! —exclamó ella—. Moriré si no puedo comer de esas verdezuelas.

El hombre, que quería mucho a su esposa, pensó: «Antes que dejarla morir, conseguiré las verdezuelas». Y al anochecer saltó el muro del jardín de la bruja, arrancó muy deprisa un puñado de verdezuelas y las llevó a su mujer. Ella se preparó en seguida una ensalada y se la comió muy contenta. Tanto le gustó, que al día siguiente sus ganas eran todavía mayores. Si quería gozar de paz, el marido ten-

dría que volver a saltar al jardín de la bruja. Y así lo hizo al anochecer. Pero apenas había puesto los pies en el suelo, tuvo un terrible sobresalto, pues se encontró de frente a la bruja.

—¿Cómo te atreves —le dijo ésta con mirada iracunda— a robarme mis verdezuelas? Lo pagarás muy caro.

—Tened compasión de mí —respondió el hombre—. Lo he hecho por una gran necesidad. Mi esposa, que espera un hijo, las vio desde la ventana y sintió un gran antojo, tan fuerte que tuvo miedo de morir.

La hechicera se dejó enternecer un poco y le dijo:

—Si es como dices, te dejaré coger cuantas verdezuelas quieras, pero con una condición: tendréis que entregarme a vuestro bebé.

Tan apurado estaba el hombre, que tuvo que acceder. Cuando nació su hijita, se presentó la bruja y, después de ponerle por nombre Verdezuela, se la llevó.

Verdezuela era una niña muy, muy guapa. Cuando cumplió doce años, la bruja la encerró en una torre sin puertas ni escaleras en medio del bosque. Únicamente en la parte alta había una diminuta ventana.

Cuando la bruja quería entrar en la torre, llamaba a Verdezuela para que echase por la ventana sus doradas trenzas, que eran tan largas que la vieja, trepando por ellas, alcanzaba la ventana.

Al cabo de algunos años sucedió que el hijo del rey, que paseaba por el bosque, oyó una canción tan melodiosa que se detuvo a escucharla. Era Verdezuela quien cantaba. El príncipe quiso subir a la torre, pero no encontró modo de hacerlo. Regresó a palacio, pero como no podía olvidar aquel canto tan dulce, iba todos los días al bosque para escucharlo. Un día estaba oculto detrás de un árbol y vio acercarse a la bruja gritando:

—¡Verdezuela, suéltame tu cabellera!

Verdezuela se soltó las trenzas y la bruja trepó por ellas.

«Ahora ya sé cómo subir a la torre», pensó el mozo. Y al día siguiente, cuando empezaba a atardecer, se acercó al pie de la torre y exclamó:

—¡Verdezuela, suéltame tu cabellera!

En cuanto descendió la hermosa trenza, el príncipe subió por ella.

Verdezuela se asustó mucho al ver a un hombre. Pero el príncipe le dirigió amablemente la palabra y le contó que sus canciones le habían robado el corazón. Al escucharle Verdezuela perdió el miedo y, cuando él le preguntó si quería ser su esposa, ella pensó: «Me querrá más que la vieja», y respondióle:

—Sí. Querría irme de esta torre contigo, pero para que pueda salir, cada vez que vengas a verme has de traer una madeja de seda; así podré trenzar una escalera y escaparé cuando esté terminada.

Acordaron que el príncipe vendría cada tarde a verla hasta que la escalera estuviese acabada.

La vieja iba a la torre por las mañanas y por eso no podía sospechar. Pero un día Verdezuela le dijo:

—Decidme, tía Gohel, ¿por qué me cuesta más subiros a vos que al príncipe?

—¡Ah, malvada! —contestó la vieja—. Yo te creía apartada de todo el mundo y, sin embargo, me has engañado.

Furiosa, la bruja cogió las hermosas trenzas de la joven y las cortó. Luego llevó a Verdezuela a vivir al desierto.

Ese mismo día la hechicera ató las trenzas cortadas a la ventana y, cuando el príncipe trepó por ellas, se encontró de frente con la bruja.

—No volverás a verla jamás —gruñó la perversa mujer.

El príncipe, fuera de sí de dolor, se arrojó desde lo alto de la torre y, aunque logró salvar la vida, los espinos sobre los que cayó se le clavaron en los ojos y le dejaron ciego.

Empezó a vagar por el bosque alimentándose de raíces y llorando sin cesar la pérdida de su amada. Y así anduvo varios años, sin rumbo y sin consuelo, hasta que llegó al desierto en el que vivía Verdezuela. Oyó su voz, la reconoció y Verdezuela se abrazó a su cuello llorando. Dos de sus lágrimas se deslizaron hasta los ojos del príncipe, que en ese mismo recuperó la vista.

El príncipe llevó a Verdezuela a su reino, donde se casaron por fin y vivieron felices muchos años.

El gato con botas

Un molinero dejó como única herencia a los tres hijos que tenía su molino, su asno y su gato. El hijo mayor heredó el molino, al segundo hijo le correspondió el asno y al más joven, solamente el gato.

Este último no podía consolarse por haber obtenido tan miserable porción de la herencia.

Ante tanto lamento, y temiendo que su amo acabara por comérselo en un momento de desesperación, dijo el gato:

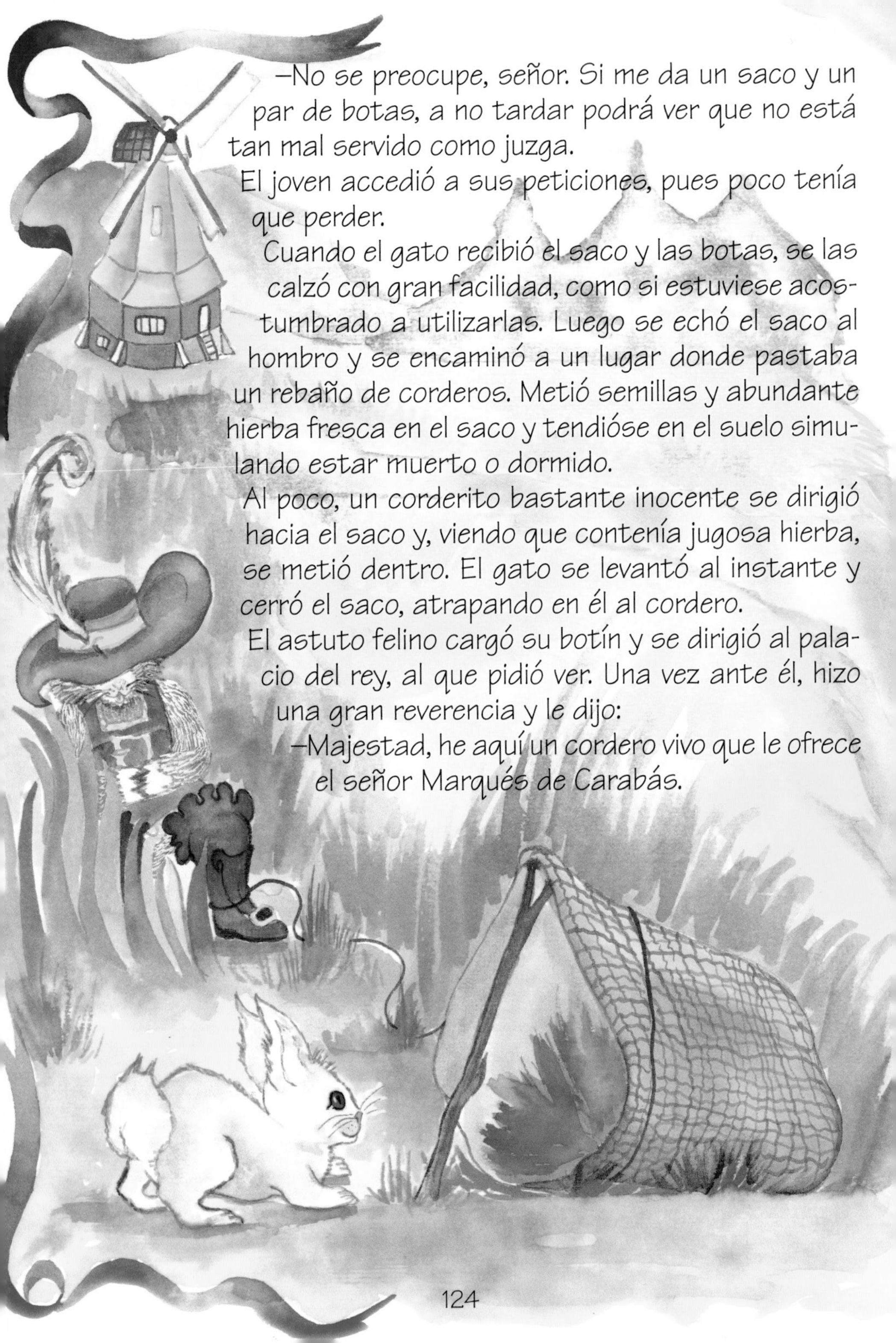

—No se preocupe, señor. Si me da un saco y un par de botas, a no tardar podrá ver que no está tan mal servido como juzga.

El joven accedió a sus peticiones, pues poco tenía que perder.

Cuando el gato recibió el saco y las botas, se las calzó con gran facilidad, como si estuviese acostumbrado a utilizarlas. Luego se echó el saco al hombro y se encaminó a un lugar donde pastaba un rebaño de corderos. Metió semillas y abundante hierba fresca en el saco y tendióse en el suelo simulando estar muerto o dormido.

Al poco, un corderito bastante inocente se dirigió hacia el saco y, viendo que contenía jugosa hierba, se metió dentro. El gato se levantó al instante y cerró el saco, atrapando en él al cordero.

El astuto felino cargó su botín y se dirigió al palacio del rey, al que pidió ver. Una vez ante él, hizo una gran reverencia y le dijo:

—Majestad, he aquí un cordero vivo que le ofrece el señor Marqués de Carabás.

El gato acababa de inventarse aquel nombre para su amo: Marqués de Carabás.

—Puedes decir a tu señor que se lo agradezco mucho —contestó el rey.

Unos días más tarde se escondió el gato entre unas gavillas de trigo, siempre con el saco abierto, y apenas entraron dos perdices las atrapó. Sin pérdida de tiempo, fue a llevárselas al rey, quien aceptó encantado el nuevo obsequio.

El gato continuó varios meses llevando al rey piezas de caza de parte del supuesto marqués.

Un día, sabiendo que el monarca pensaba pasear cerca del río en compañía de su hija, la más hermosa princesa del mundo, dijo a su amo:

—Si sigue mis consejos le sonreirá la fortuna. No tiene más que ir a tomar un baño en el río. Lo demás corre de mi cuenta.

El joven siguió las indicaciones del animal, aunque sin saber con qué fin. Mientras se bañaba, pasó por allí la carroza del rey y el gato empezó a gritar con toda sus fuerzas:

—¡Socorro, socorro, se ahoga mi amo, el Marqués de Carabás!

Al oír tales gritos, el rey se asomó por la ventanilla del coche y reconoció al gato que tantas veces le llevara caza. Sin pérdida de tiempo mandó a sus guardias en auxilio del Marqués de Carabás. Mientras tanto, el gato le explicó al monarca que, estando su señor tomando un baño, aparecieron unos ladrones y le robaron la ropa. (En realidad, el astuto gato la había escondido entre los matorrales.)

El monarca mandó entonces traer las mejores ropas para el Marqués de Carabás, que le hizo mil cumplidos. Como los preciosos trajes que acababan de darle acentuaban su ya de por sí buena figura, la hija del rey se enamoró del joven locamente.

El gato estaba muy satisfecho de ver que su plan comenzaba a dar resultado. Se adelantó a la comitiva y a poco encontró unos campesinos que cortaban hierba en un prado próximo al camino. El gato se acercó para decirles:

—¡Eh, buenas gentes! ¡Si no decís al rey que este prado pertenece al Marqués de Carabás, seréis transformados en picadillo!

Cuando el rey ordenó detener la carroza para preguntar a quién pertenecía aquel hermoso prado, los campesinos dijeron:

–¡Es propiedad del Marqués de Carabás!

El rey dijo al marqués:

–Poseéis una bella propiedad, querido amigo.

El astuto gato, que siempre iba delante, encontró a otros segadores y se repitió la misma escena que en el prado.

De nuevo se detuvo el coche del rey.

—¿A quién pertenece este trigo?—preguntó el monarca.

—Al Marqués de Carabás, Majestad —contestaron los segadores. El rey se volvió hacia el hijo del molinero:

—¡Veo que sois muy rico! —exclamó, gratamente sorprendido.

El gato con botas, que en todo momento se adelantaba al coche del rey, repetía lo mismo a cuantos campesinos hallaba por el camino. Y así, el rey llegó a la conclusión de que el joven marqués era enormemente rico.

Llegó el gato a un bello castillo que, junto a las tierras por donde habían pasado, pertenecía a un riquísimo hechicero.

El gato, que había tenido la precaución de informarse acerca de los poderes del hechicero, llamó a la puerta del castillo y le dijo que no podía pasar tan cerca sin tener la honra de hacerle una visita.

El hechicero le hizo entrar y le invitó a tomar asiento.

—Me han asegurado —empezó diciendo el gato— que tienes el admirable poder de transformarte en cualquier animal y que muy bien puedes convertirte en un león o en un leopardo, si ése es tu gusto.

—Así es —contestó el hechicero—. Y para que lo compruebes con tus propios ojos, vas a verme convertido en un león.

En efecto, el hechicero pronunció unas extrañas palabras y se convirtió en un feroz león. El gato, asustado, se encaramó al tejado, hasta que el hechicero recuperó el aspecto humano.

—Me aseguran también —dijo entonces el felino— que eres capaz de transformarte en un animal pequeño, como una rata o un ratón. A mí, la verdad, me parece absolutamente imposible.

—¿Imposible? —exclamó el hechicero—. Ahora verás.

Y entonces se transformó en un ratoncillo. El gato no dudó un instante y se arrojó sobre él, devorándolo en un pispás.

En aquel momento el rey pasaba junto al castillo y quiso visitarlo. El gato lo oyó y corrió velozmente a la entrada a recibirlo.

—Bienvenido al castillo del Marqués de Carabás —dijo el gato.

—¿También este castillo es vuestro? —inquirió el rey, sorprendido—. Nunca he visto un edificio tan bonito. ¿Podríais mostrármelo por dentro?

—Con mucho gusto —dijo el marqués.

Entraron en un gran salón, donde hallaron una comida magnífica que el hechicero había mandado preparar para unos amigos.

Encantado el rey con las buenas cualidades del Marqués de Carabás, lo mismo que su hija, que estaba loca por él, y viendo las riquezas que poseía, le dijo después de la comida:

–Sólo depende de vos, señor Marqués de Carabás, que seáis mi yerno.

Y el hijo del molinero, haciendo una gran reverencia, aceptó la honra que el rey le concedía, y aquel mismo día se casó con la bella princesa. El gato con botas se convirtió en un gran señor y, en adelante, se dedicó exclusivamente a cazar ratones para distraerse cuando se aburría.

El músico maravilloso

En un lejano país había una músico que tocaba el violín como un virtuoso. Viendo un día que las cosas se estaban poniendo muy malas, decidió buscarse un compañero. Así que se fue al bosque y allí se puso a tocar con empeño su violín, hasta que se le presentó un lobo.

«¡Que el cielo me ayude», se dijo el músico, «para que este lobo no me haga daño!».

—¡Cuán maravillosamente tocas! —dijo el lobo—. Mucho te agradecería que me enseñases tu arte.

—Será cosa muy sencilla —replicó el músico— si haces lo que te digo.

El lobo prometiólo y siguiendo al músico llegaron hasta un viejo roble, que estaba hueco y presentaba una gran grieta en medio del tronco.

—Mira —dijo el músico—; si deseas aprender a tocar el violín, mete tu pata en esa rendija.

Obedeció el lobo y el músico, cogiendo una piedra, le acuñó la pata delantera a la grieta, aprisionándolo.

—Espérame hasta que vuelva —le dijo, y prosiguió su camino.

Como el músico deseaba un buen compañero, volvió a tocar con entusiasmo su violín, hasta que se le presentó un zorro.

—¡Qué encantadora es tu música! —le dijo—. Desearía aprender a tocar como lo haces tú.

–Pues tan sólo has de hacer lo que yo te diga –contestó el músico.

–¡De mil amores! –replicó el zorro.

Siguieron caminando hasta llegar a un estrecho sendero. Entonces el músico, tomando un grueso retoño de avellana, lo sujetó poniéndole el pie encima. Hizó lo mismo con otro retoño del lado opuesto del sendero, y dijo al zorro:

–Lindo zorro, si quieres aprender a tocar el violín, dame tu pata izquierda.

Obedeció el animal y el hombre ató una pata a una de las ramas y luego la otra pata a la segunda rama; entonces quitó el pie de las ramas y éstas se enderezaron con prontitud, quedando el zorro aullando por los aires.

–Te ruego me esperes así, hasta que vuelva –díjole el músico reanudando su camino.

Como aún no había encontrado el compañero ideal para formar sociedad y ganarse la vida, se detuvo a tocar en otro claro del bosque.

No tardó en presentarse una hermosa liebre.

—¡Qué bien tocas el violín, amigo! ¿Podrías enseñarme? —dijo la liebre.

—Tocarás en corto plazo —contestó el músico— si obedeces mis instrucciones.

La liebre así lo prometió y se dejó atar un cordel alrededor del cuello, cordel que el músico sujetó con varias vueltas al tronco de un árbol.

—Ahora no tienes más que esperarme aquí —le dijo el músico.

Pero entretanto el lobo, tras arañar y empujar la piedra largo rato, logró liberar su pata.

—¡Me voy en pos del pillo músico para hacerle trizas! —exclamó enfurecido.

Cuando iba a todo correr, oyó una voz que le gritaba:

—¡Hermano lobo, por favor, descuélgame! El pícaro músico me hizo esta mala pasada.

El lobo se puso a morder con empeño el pie del avellano y no tardó en partirlo en dos, logrando liberar al zorro.

Luego ambos animales, deseosos de venganza, corrieron en busca del músico. Pero al pasar junto a la liebre, ésta les gritó demandando ayuda. Se aproximaron a ella y la libertaron, continuando las tres víctimas la búsqueda del músico.

Entretanto, éste había vuelto a tocar su violín, hasta que, atraído por una entusiasta polca, se le acercó un cazador escopeta en mano.

—¡Qué maravillosamente ejecutas, buen amigo! —dijo asombrado el cazador—. ¡Cómo desearía aprender a tocar de esa manera!

—¡Es fácil —replicó el músico—, con un poco de interés, buen oído y mucho corazón! Tú sí podrás tocar el violín, y no sólo tocarlo, ejecutar en él maravillosamente. ¡Tocar bien un instrumento es privilegio del hombre! —siguió diciendo con sorna, guiñando un ojo al cazador al ver que se acercaban el lobo, el zorro y la liebre.

El cazador, viendo que aquellos animales se aproximaban amenazadoramente, encaró la escopeta y díjoles:

—¡Al primero que avance un paso más, lo mato!

Las bestias, al apreciar la determinación del cazador, se asustaron tanto que huyeron a todo correr.

Entonces el virtuoso músico tocó al cazador las mejores piezas de su repertorio, tanto por haberle salvado de una muerte segura cuanto porque festejaba el haber encontrado al compañero ideal.

Cuentan las crónicas que cazador y músico formaron una pareja inseparable, el primero ejecutando sus piezas de pueblo en pueblo y el segundo cazando para que no faltaran alimentos en su mesa.

La ratita blanca

La reina de las hadas preparaba una gran fiesta para celebrar la llegada de la primavera y la naturaleza entera proclamaba a los cuatro vientos su alegría.

En el reino de las hadas se notaba un inusitado movimiento: todas las hadas pulían sus transparentes alas y alisaban sus varitas mágicas.

Llegó por fin la hora señalada y todas se dirigieron al palacio real en fantásticos carruajes: una gran concha marina, tirada por lindas

mariposas; una gran hoja de acacia llevada por el viento; no faltaban las gigantescas y transparentes libélulas.

Solamente un hada faltó a la fiesta. Era la dulce Angelina, el hada de los llantos, como la llamaban sus hermanas, porque siempre andaba compadeciéndose de todo infortunio. Precisamente aquella mañana había oído llorar a unos niños y no pudo evitar dirigirse precipitadamente a la cabaña donde se escuchaban los lamentos.

Era la casita de un leñador que había salido con su esposa la noche anterior y todavía no había regresado. Sus cinco hijitos lloraban desconsolados y Angelina se vio en apuros para calmarles.

Los lavó, los peinó y les dio de comer. Luego comenzó a coser sus ropitas afanosamente. En eso se acordó de la fiesta que aquella misma noche ofrecía la reina de las hadas.

«Iré en seguida», pensó, «no tengo prisa aún».

Pero al caer la noche un miedo terrible se apoderó de los niños, que no querían que Angelina se marchara. Entre tanto, ella pensaba: «Todavía tengo tiempo».

Hizo la cena y les estaba dando de comer, cuando se oyó cantar a un grillo:

–Angelina, el banquete ha comenzado ya y la reina echa en falta tu presencia.

El hada quiso marcharse, pero los niños se cogieron de sus ropas llorando. Ella pensó: «Me iré en cuanto se duerman».

Estaba velando el sueño de los niños, cuando una enorme mariposa se acercó revoloteando para decirle:

–Angelina, la reina empieza a impacientarse por tu ausencia.

El hada se levantó dispuesta a marcharse, pero el más pequeño de los niños se despertó llorando y la pobre hadita volvió a sentarse junto a él para tranquilizarle. En aquel momento se oyó una voz colérica y enfadada, que gritaba:

—¿Dónde está Angelina?

Angelina reconoció la voz de su reina y, espantada, salió tan precipitadamente de la cabaña que olvidó su varita mágica. Os diré, queridos lectores, que olvidar la varita mágica es la falta más grave que puede cometer un hada.

Cuando Angelina llegó al gran salón donde todas las hadas estaban reunidas, se escuchó gran murmullo.

—¡El castigo será terrible! —dijeron unas.

—Ha estado cuidando a unos niños pobres —dijeron otras, más compasivas.

Angelina se dio cuenta, al oírlas hablar, de que había olvidado su varita y postrándose ante la reina, le pidió perdón.

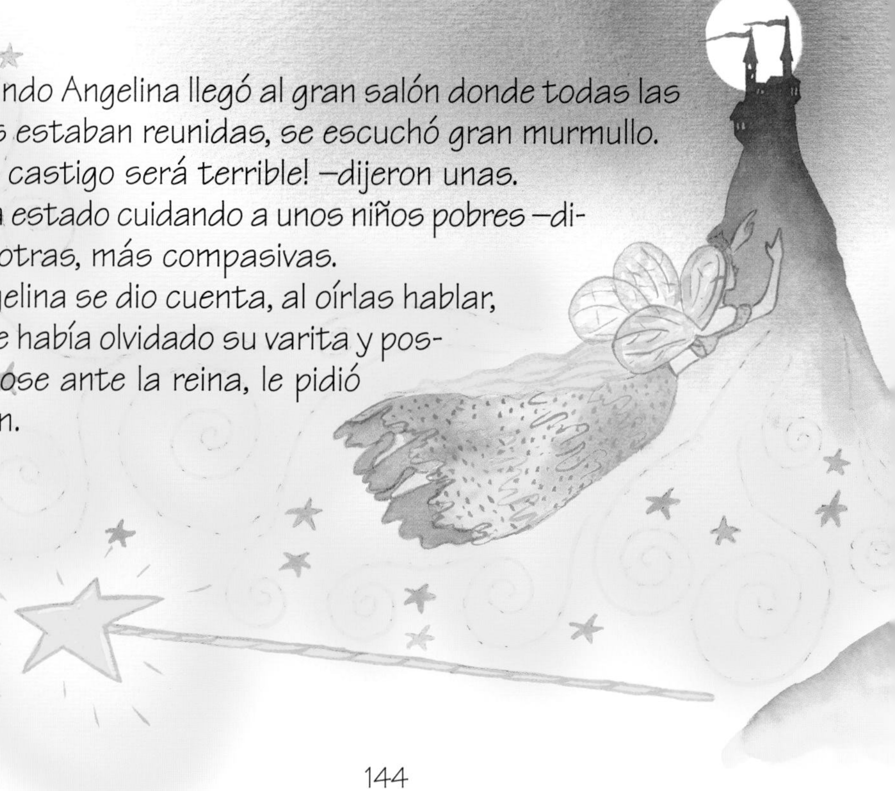

—No puedo perdonarte —le dijo la reina—, ya que tu castigo debe servir de escarmiento a las demás. Sin embargo, teniendo en cuenta que has estado realizando una buena obra, no te quitaré tu poder para siempre. Sólo te condenaré a recorrer el mundo durante cien años convertida en una ratita blanca. Así podrás seguir visitando a los presos en sus prisiones y a los pobres en sus cabañas, cosa que, por lo que se ve, te agrada muchísimo.

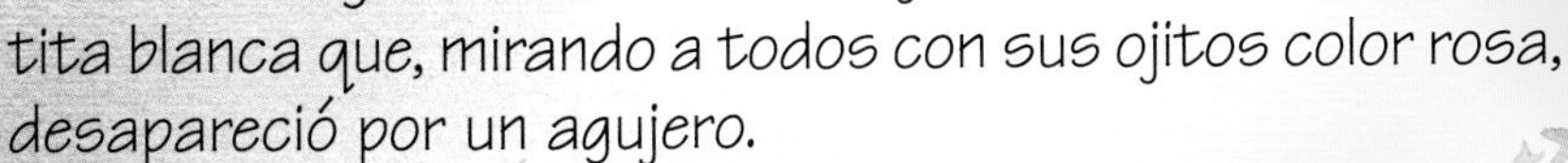

Tocó a Angelina con su varita y la convirtió en una linda ratita blanca que, mirando a todos con sus ojitos color rosa, desapareció por un agujero.

De manera que, amados lectores, cuando veáis una ratita blanca de dulces ojitos rosados, pensad que puede ser nuestra hada Angelina, que quizá no ha cumplido aún el castigo que sufrió por olvidar su varita mágica.

Riquete el del copete

Había una vez una reina que tuvo un hijo terriblemente feo. Pero un hada predijo que sería amable e inteligente y le concedió el don de poder transmitir parte de su talento a la persona que más amase, todo lo cual consoló un poco a la pobre madre. Le llamaron Riquete el del Copete, pues había nacido con un gran penacho de pelo en lo alto de la cabeza.

Poco después la reina de un país vecino tuvo gemelas. La primera en nacer era una niña hermosísima; pero la misma hada que había visto nacer a Riquete vaticinó que aquella princesita sería tan estúpida como hermosa. Mayor aún fue el pesar de la reina al ver que la segunda hija era feísima.

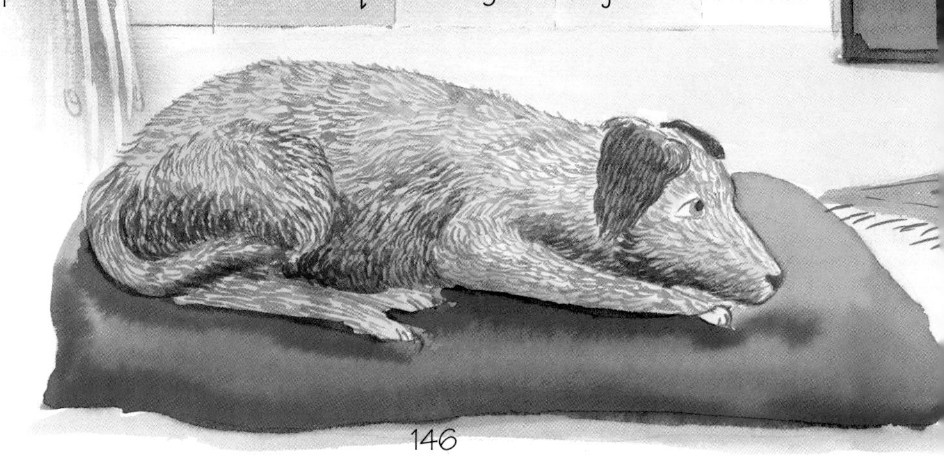

—No os aflijáis, señora —le dijo el hada—; esta niña tendrá tanto talento que casi no se advertirá su falta de belleza. En cuanto a la mayor, lo único que puedo hacer es otorgarle el don de dar belleza a quien ella más ame.

Las dos princesas fueron creciendo y, aunque la belleza es una gran ventaja para una joven, gracias a su ingenio la hermana menor superaba a la mayor en todas las reuniones, pues todos acababan por aburrirse con la princesa guapa. De buena gana ésta hubiera dado toda su belleza a cambio de la mitad del ingenio de su hermana. Un día que estaba en el bosque llorando su desdicha, se le acercó un joven muy feo y desagradable, pero magníficamente vestido: era el joven príncipe Riquete el del Copete, quien, enamorado de ella por su belleza, ardía en deseos de conocerla.

Riquete, viendo que la

princesa estaba
muy triste,
le dijo:

—No comprendo, señora, que una persona tan hermosa como vos esté tan afligida: la belleza es un don tan grande que debe superar cualquier desdicha.

—Sois muy amable, señor —le respondió la princesa—. Pero preferiría ser tan fea como vos y tener inteligencia, que tener esta belleza y ser necia como soy.

—Señora, no puedo creer que carezcáis de ingenio; pero si sólo es eso lo que os aflige, yo puedo poner fin a vuestro dolor.

—¿Cómo lo haréis? —dijo la princesa.

—Tengo el poder —dijo Riquete el del Copete—, de dar tanta inteligencia como quiera a la persona a quien ame más; y como esa persona sois vos, si os casáis conmigo tendréis el talento que ansiáis.

La princesa quedó sobrecogida y no supo qué responder.

—Puesto que sé que es difícil tomar esta decisión —prosiguió Riquete—, os dejaré un año para que decidáis.

La princesa, para salir de tan difícil situación, aceptó.

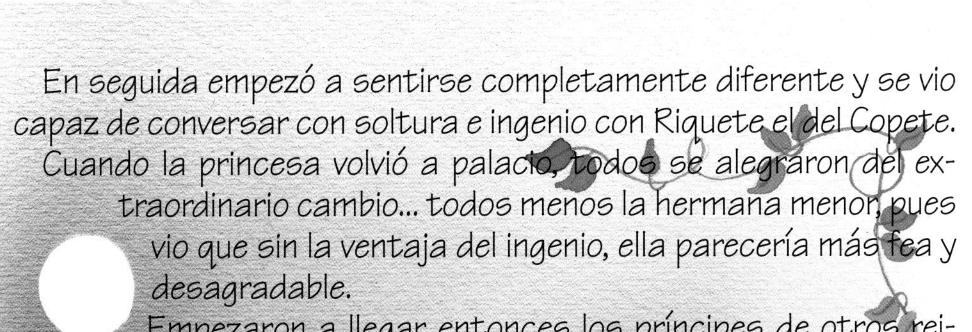

En seguida empezó a sentirse completamente diferente y se vio capaz de conversar con soltura e ingenio con Riquete el del Copete.

Cuando la princesa volvió a palacio, todos se alegraron del extraordinario cambio... todos menos la hermana menor, pues vio que sin la ventaja del ingenio, ella parecería más fea y desagradable.

Empezaron a llegar entonces los príncipes de otros reinos tratando de conquistar a la hermosa y ahora inteligente princesa. Tras descartar a muchos pretendientes, se presentó un hombre tan poderoso, apuesto y rico, que no pudo resistirse.

Sin embargo, como ahora era sensata, la joven pidió que le concedieran tiempo para reflexionar antes de casarse con él.

Buscó la paz del bosque para meditar; pero lo que encontró allí fue gran revuelo y vio a muchas gentes que preparaban un festín magnífico.

La princesa, atónita ante el espectáculo, les preguntó para quién trabajaban.

—Señora, trabajamos para el príncipe Riquete el del Copete, cuya boda se celebra mañana.

La princesa se quedó de piedra al recordar de pronto que hacía un año que había prometido casarse con Riquete, quien en ese momento se presentó muy resuelto.

—Aquí me tenéis, señora —dijo—, decidido a mantener mi palabra, y no dudo de que habéis venido para hacerme el más feliz de los hombres concediéndome vuestra mano.

—Confieso francamente —respondió la princesa— que aún no he tomado resolución.

—Me asombra lo que decís —le replicó Riquete—. Podría reprocharos vuestra falta de palabra, pero, ¿cómo podría hacerlo, cuando es mi felicidad lo que está en juego? Es que, además de mi fealdad, ¿hay en mí algo que os desagrade?

—De ningún modo —respondió la princesa—, me gusta de vos todo lo que me decís.

—Siendo así —repuso Riquete el del Copete—, podéis hacerme el más venturoso de los hombres.

—¿Cómo puede ser eso? —dijo la princesa.

—Sabed, señora, que la misma hada que me concedió el don de compartir mi inteligencia, os dio a vos el de hacer hermoso al hombre que améis.

—Pues deseo de todo corazón que vos, el más gentil de los caballeros, os convirtáis en el príncipe más apuesto —dijo la princesa.

Inmediatamente Riquete el del Copete apareció ante sus

ojos como el joven más guapo y más amable del mundo.

Hay quienes aseguran que no fueron los encantamientos del hada, sino el amor, lo que causó aquella metamorfosis, pues la princesa, al ver la perseverancia de su enamorado y todas las buenas cualidades de su alma, no percibió ya sus deformidades ni la fealdad de su rostro.

Al día siguiente se celebró la feliz boda, según lo había previsto Riquete el del Copete hacía mucho tiempo.

El rey Midas

Había un rey muy avaricioso que tenía por nombre Midas. Era fabulosamente rico, pero deseaba ser mucho más rico todavía. Aunque no gastaba más que lo indispensable, siempre andaba regañando a su tesorero por los gastos hechos. No daba limosna jamás y los necesitados salían de palacio dasairados. Se pasaba el día en los sótanos contando sus riquezas y contemplaba largo rato sus tesoros como extasiado.

—¡Cuánto daría por ser el rey más rico del orbe! ¡Quisiera tener más oro que nadie! —decía a cada instante.

Una mañana se le apareció un duende.

—¿Quien eres tú? —preguntó sorprendido el rey Midas.

—Ya lo ves: soy un duende.

—Supongo que no te quedarás a pasar muchos días. Este año no me han rendido los campos y no podemos gastar mucho en comida.

—Vengo a compensar en algo tu mala suerte —dijo el duende—. Pídeme la gracia que quieras y te será concedida al instante.

El rey estaba perplejo; pero pensó que ésta era la ocasión de conseguir lo que había deseado toda la vida.

—Si es cierto tu poder, ¿podrías hacer que todo lo que toque se convierta en oro? —dijo el rey.

—Pues bien: se cumplirá tu deseo —corroboró el duende, y diciendo esto desapareció.

El rey Midas, para cerciorarse de la magia del duende, cogió unas monedas de cobre y plata. Apenas las hubo tocado, las monedas se convirtieron en otras de reluciente oro.

—¡El duende tenía razón! ¡Qué prodigio! —exclamó fuera de sí el rey, encendidos de avaricia los ojos.

Tocó un jarro de porcelana y éste quedó convertido en oro. Después tocó todos los cubiertos que eran de plata y al momento se convirtieron en oro. Y así, muy contento y cada vez más lleno de ambición, el rey Midas fue tocando cuantos objetos tenía al alcance, convirtiéndolos en oro.

Ya el soberano estaba cansado de tocar objetos y como sintió hambre, pidió que le sirvieran la comida.

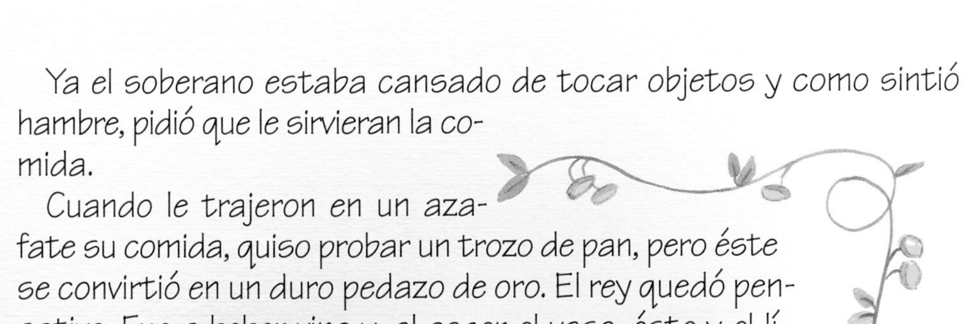

Cuando le trajeron en un azafate su comida, quiso probar un trozo de pan, pero éste se convirtió en un duro pedazo de oro. El rey quedó pensativo. Fue a beber vino y, al coger el vaso, éste y el líquido se convirtieron en oro.

—¡Oh, no puedo comer! —dijo tristemente el rey Midas.

Fue a su biblioteca a leer, pero, al coger un libro, éste se transformó en un pesado bloque de oro. Cada vez más preocupado, el rey intentó acariciar a su gato favorito y lo convirtió en dorada estatua. Quiso aspirar el perfume de una bella rosa, pero al tocarla la convirtió en oro.

Ya fuera de sí, quiso distraerse cabalgando en su famoso caballo blanco. Pero apenas tocó el precioso animal, éste quedó convertido en estatua de oro. Entonces el rey comenzó a llorar sin consuelo y al ser escuchados sus sollozos por su única hija, vino ésta presurosa a consolarle. Mas, cuando el rey tocó a su hija, ésta quedó también convertida en estatua de oro.

—¡Maldito oro! ¡Déjame vivir en paz! ¡Todo cuanto he tocado se ha convertido en oro y hasta mi única hija es ahora una estatua!

¡Ay, duende mágico, ten compasión de este pobre rey, que, cegado por la ambición se ha convertido en el más desgraciado de los mortales!

Entonces apareció nuevamente el duende y, apiadándose de la desgracia del rey, despojó a éste de la facultad de convertir en oro cuanto tocaba, y le dijo:

–Rey Midas, quiero que esto te sirva de lección y comprendas que el oro no hace la felicidad y que la avaricia desmedida es fuente de desdichas.

El rey dio la razón al duende y en adelante dejó de ser codicioso y distribuyó sus riquezas entre los necesitados, lo cual le convirtió en un rey muy querido y respetado por todos sus vasallos.

La Cenicienta

Érase una vez un caballero que se casó en segundas nupcias con una mujer altanera y de muy mal genio. Tenía ésta dos hijas con su mismo mal carácter. El marido, a su vez, tenía una hija de dulzura y bondad sin igual. En cuanto se vio casada, la madrastra dio rienda suelta a su maldad; no soportaba las buenas cualidades de aquella muchacha, que hacían aún más odiosas a sus hijas.

La pobre niña dormía sobre un duro jergón, mientras sus hermanastras tenían mullidos lechos. Ella sufría todo con paciencia y no se atrevía a quejarse a su padre para no hacerle infeliz.

Cuando terminaba todas sus tareas, se sentaba sobre

las cenizas en un rincón de la chimenea, por lo que la llamaban Cenicienta. A pesar de su viejo vestido, era mil veces más bonita que las hermanas, siempre bien vestidas.

Sucedió un día que el príncipe dio un gran baile en el palacio y convidó a todas las personas importantes del reino. También fueron invitadas las hermanastras de Cenicienta, sin duda porque eran muy elegantes. Se pusieron muy contentas e inmediatamente comenzaron los preparativos para la gran fiesta. Todo esto suponía más trabajo para Cenicienta, pues era ella quien tenía que planchar y almidonar la ropa de las hermanas.

Cenicienta trabajó mucho en los vestidos e incluso se ofreció a peinarlas. Mientras ensayaba peinados, le preguntaron:

—¿Te gustaría ir al baile?

—Eso no es para mí —contestó Cenicienta con tristeza.

—Tienes razón —dijo la hermana mayor con malicia—. ¡Todos se reirían de ti!

Por fin llegó el gran día. Las hermanastras se fueron y la pobre Cenicienta se quedó llorando desconsoladamente.

Mas allí mismo apareció su hada madrina y, viéndola apenada, le preguntó qué le ocurría.

—Me gustaría..., me gustaría mucho ir al baile —dijo Cenicienta entre sollozos.

—Como eres una muchacha muy buena —dijo el hada—, voy a arreglar las cosas para que vayas. En primer lugar, corre al jardín y coge una calabaza.

Cenicienta le llevó al hada la más hermosa que encontró. Entonces, con un toque de su varita mágica, el hada madrina transformó la calabaza en una espléndida carroza.

Después pidió a Cenicienta que abriera la puerta del granero: salieron seis ratoncitos a los que fue convirtiendo en lindos caballos.

–Ahora necesito un cochero –dijo el hada–. Mira si ha caído alguna rata en la trampa.

Cenicienta, maravillada, trajo la trampa, donde había una rata que tenía grandes bigotes y, luego de tocarla con su varita, el hada la transformó en un imponente cochero de grandes mostachos.

Por último, el hada le dijo a Cenicienta que encontraría seis lagartijas detrás de la regadera. Tan pronto la niña se las trajo, la madrina hizo de ellas seis elegantísimos criados.

–Bien, ya estás lista para ir al baile– le dijo a Cenicienta.

–Pero, ¿cómo me voy a presentar allí con este vestido tan viejo?

Con otro toque de la varita mágica, los andrajos se transformaron en un vestido de oro y plata con deslumbrantes piedras preciosas. El hada completó su maravillosa obra entregando a Cenicienta unos preciosos zapatos de cristal.

Cenicienta subió al carruaje y, antes de partir, el hada madrina le adviritó:

—No vuelvas a casa después de medianoche. Si te demoras un minuto más, el carruaje se convertirá en calabaza, los caballos en ratones, los criados en lagartijas y tu precioso vestido volverá a ser el mismo de antes.

—Prometo que saldré del baile antes de la medianoche —contestó Cenicienta, y la carroza partió veloz.

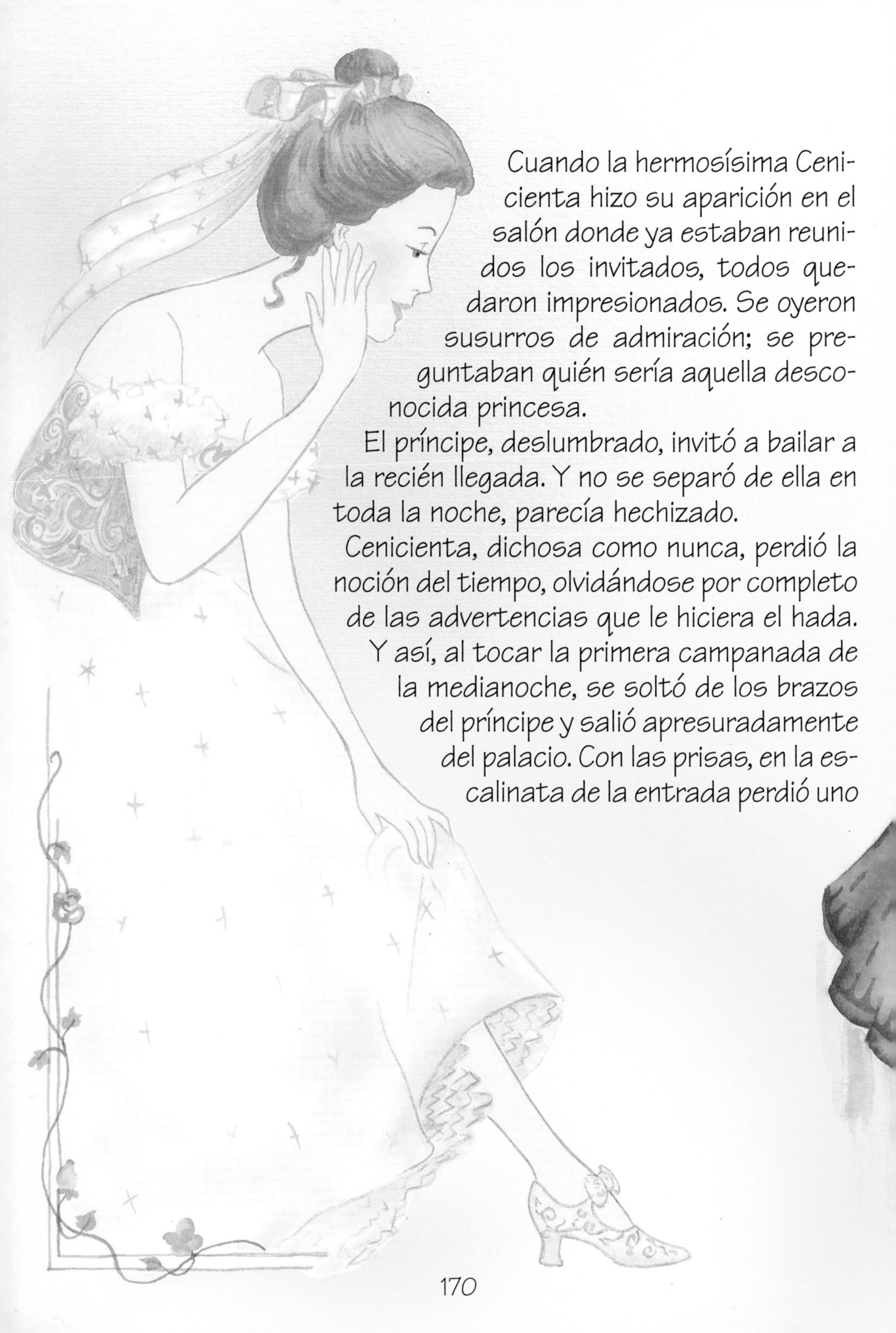

Cuando la hermosísima Cenicienta hizo su aparición en el salón donde ya estaban reunidos los invitados, todos quedaron impresionados. Se oyeron susurros de admiración; se preguntaban quién sería aquella desconocida princesa.

El príncipe, deslumbrado, invitó a bailar a la recién llegada. Y no se separó de ella en toda la noche, parecía hechizado.

Cenicienta, dichosa como nunca, perdió la noción del tiempo, olvidándose por completo de las advertencias que le hiciera el hada.

Y así, al tocar la primera campanada de la medianoche, se soltó de los brazos del príncipe y salió apresuradamente del palacio. Con las prisas, en la escalinata de la entrada perdió uno de sus zapatitos de cristal. El príncipe, que había salido detrás de la joven, recogió el zapato y lo guardó con gran cuidado.

Cenicienta llegó a casa muy sofocada, ya sin carruaje, sin criados y con el vestido viejo de todos los días. Del rico atavío con que asistiera al baile no le quedaba más que un zapatito de cristal.

Entretanto, el afligido príncipe preguntaba a los guardias si no habían visto salir de palacio a una princesa; los guardias respon-

dieron que sólo habían visto pasar a una muchacha mal vestida que más parecía una campesina que una gran dama.

Cuando las hermanastras regresaron del baile, le contaron a Cenicienta la inesperada aparición de la hermosa princesa que había capturado la atención del príncipe. Le relataron también cómo el hijo del rey había recogido un zapatito de cristal que la princesa perdió al salir corriendo y que durante el resto del baile no hizo más que contemplarlo embelesado. Muertas de envidia, confesaron que el príncipe parecía muy enamorado de la desconocida.

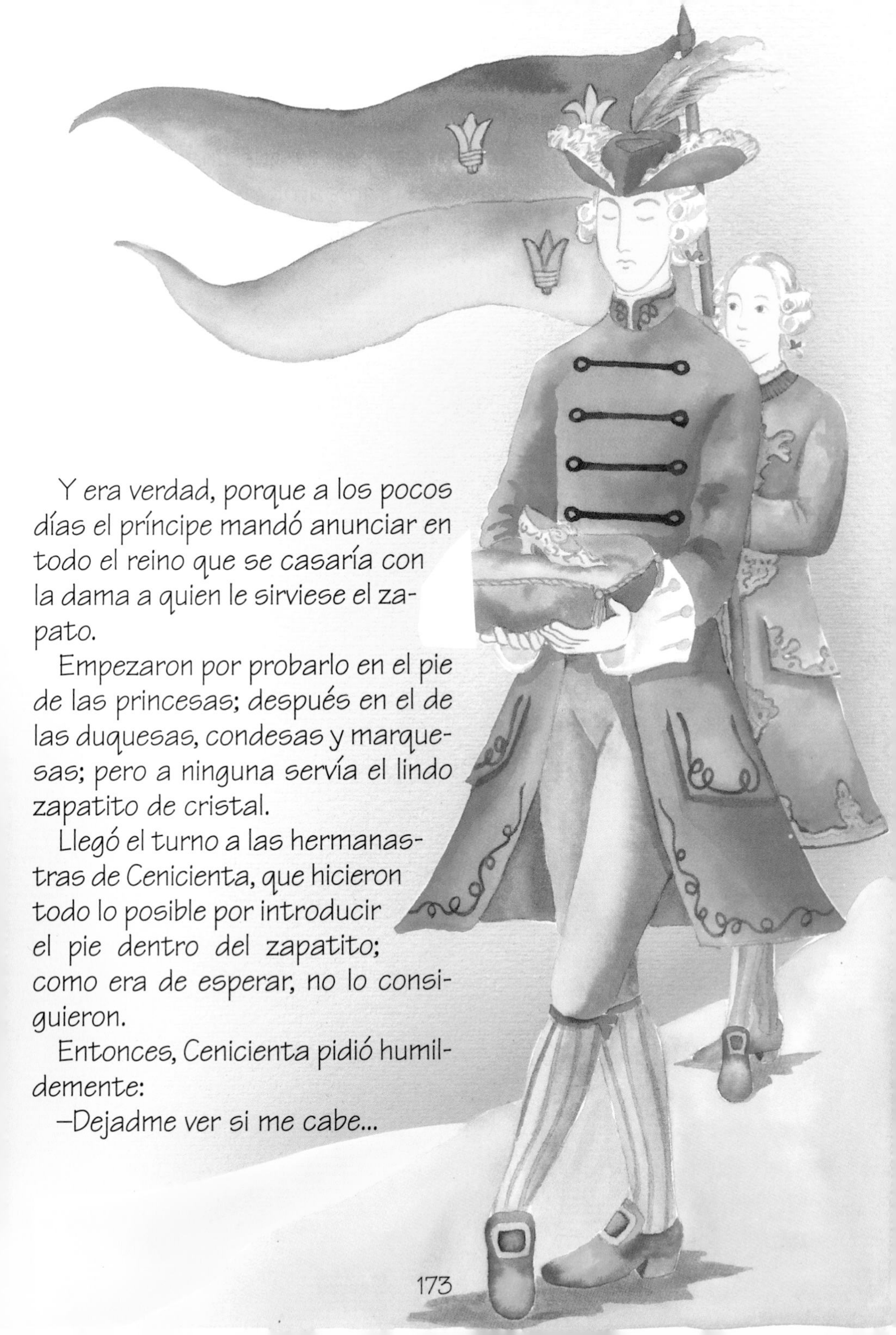

Y era verdad, porque a los pocos días el príncipe mandó anunciar en todo el reino que se casaría con la dama a quien le sirviese el zapato.

Empezaron por probarlo en el pie de las princesas; después en el de las duquesas, condesas y marquesas; pero a ninguna servía el lindo zapatito de cristal.

Llegó el turno a las hermanastras de Cenicienta, que hicieron todo lo posible por introducir el pie dentro del zapatito; como era de esperar, no lo consiguieron.

Entonces, Cenicienta pidió humildemente:

—Dejadme ver si me cabe...

Las dos hermanas soltaron una gran carcajada, mas el hidalgo que traía el zapatito miró a Cenicienta y, encontrándola muy bonita a pesar de los harapos que vestía, dijo que tenía orden de probar el zapatito en el pie de todas las doncellas. Calzó el zapato en el pie de Cenicienta y vio que encajaba a la perfección.

La sorpresa de las hermanas fue inmensa, pero fue aún mayor cuando Cenicienta sacó del bolsillo el otro zapato y se lo calzó también.

En ese instante apareció el hada madrina y, tocando con su varita mágica el pobre vestido de Cenicienta, lo convirtió en el más elegante.

Al verla así ataviada, las hermanas reconocieron en ella a la misteriosa princesa

del baile. Se arrojaron a sus pies y le pidieron perdón por lo mal que la habían tratado.

Cenicienta las ayudó a levantarse y, abrazándolas, dijo que las perdonaba de corazón.

Condujeron a Cenicienta al palacio del rey. El príncipe la vio más linda que nunca y dio orden de acelerar los preparativos de la boda, que se celebró pocos días después con gran esplendor.

Cenicienta, que era tan buena como bonita, instaló a las dos hermanas en el castillo y las casó con dos grandes señores de la corte.

Diamantes y reptiles

La madre viuda a quien nos vamos a referir tenía dos hijas. La mayor se parecía mucho a su mamá: era soberbia, intolerante y antipática. La menor se parecía a su difunto padre: era modesta, bondadosa y agradable.

La madre prefería a la primera y le encomendaba siempre las labores más sencillas; en cambio dedicaba a la pequeña a los más penosos trabajos. Dos veces por día, con buen o mal tiempo, tenía que ir la pobre a por agua a la fuente.

Estaba un día llenando su cántaro, cuando se le acercó una pobre anciana y le dijo:

—Niña, ¿me puedes dar un trago de agua?

—¡Sí, con mucho gusto! —exclamó la niña, muy contenta de poder hacer un bien. Y le acercó el cántaro a la boca.

Cuando acabó la anciana de beber, dijo a la muchacha:

—Tienes un excelente corazón y quiero premiarte por ello. Desde este momento, cada vez que hables saldrán perlas y diamantes de tu boca.

La niña recibió como un cumplido las palabras de la anciana, le dio las gracias y regresó a su vivienda, donde la esperaba impaciente su madre.

—¿Por qué has tardado tanto? —le gritó.

—Lo siento, madre —dijo la muchacha—, no tuve intención de retrasarme.

Y diciendo esto llena de temor, salió de su boca un puñado de perlas y de diamantes.

La madre se quedó atónita, y entonces la muchacha le contó lo que había pasado en la fuente.

—¡La anciana era un hada! —dijo la madre, y corrió en seguida a donde estaba su hija mayor.

—Mejor que a esta chicuela —iba diciendo la madre— le vendrá ese don a mi niña. Y le dijo:

—Toma el cántaro y ve corriendo a la fuente.

—¡Ni lo sueñes! —replicó la hija con disgusto—. Puede ir la pequeña, o tú, como otras veces.

La madre consiguió con lisonjas y mimos que su hija mayor fuera al bosque. Al llegar a la fuente, la anciana le dijo:

—Llegas a tiempo, niña. Dame un trago de agua.

—No soy su sirvienta —dijo con aspereza la muchacha—. Usted puede tomar el agua lo mismo que yo.

—Tienes mal genio y peor corazón —dijo la viejecita—. En pago de tu mal crianza, cada vez que hables saldrán de tu boca sapos y culebras.

La muchacha levantó los hombros con desdén y cuando regresó a casa puso el cántaro a los pies de su madre con malos modos.

—¿Encontraste al hada? —le preguntó ésta.

La hija abrió la boca para contestar y brotaron de sus labios sapos y culebras.

—¿Qué es esto? —gritó la madre asustada.

Trató la hija de explicar el caso, pero fue preciso mandarla callar, porque se iba llenando la pieza de asquerosos reptiles.

Falada, el caballo prodigioso

Una anciana reina viuda tenía una hermosa hija que se iba a casar con un príncipe de lejanas tierras.

Llegado el momento de abandonar su hogar, la buena reina llenó los baúles de su hija de preciosos objetos de oro y plata, pues la amaba de todo corazón. Le dio también una criada y a cada una de ellas un caballo para hacer el viaje; el de la princesa sabía hablar y se llamaba Falada.

Antes dedespedirse, la madre se hirió en los dedos con un cuchillo, y dejando caer tres gotas de sangre sobre un pedacito de lienzo blanco, se lo dio a su hija, diciendo:

–Hija, guárdalo bien; te hará falta en el camino.

Llenas de pena se despidieron. La princesa se guardó el lienzo en el pecho y partió. Al cabo de una hora sintió mucha sed y dijo a su doncella:

—Bájate y sácame agua del arroyo con la copa que has traído para mí.

—Si tenéis sed —dijo la doncella—, bajad vos misma, acercáos al agua y bebed; yo no quiero ser vuestra criada.

La princesa se bajó del caballo y, arrodillándose en la orilla, se inclinó y bebió en la mano, porque la criada no quiso darle la copa de oro. La princesa dijo:

—¡Dios mío!

Y las tres gotas de sangre contestaron:

—Si tu madre supiera esto, el corazón se le partiría.

Pero la princesa era humilde y, subiendo al caballo, continuaron su marcha. Cuando avanzaron unas leguas, volvió a sentir sed la princesa y como pasaban junto a un río, reiteró la petición a la doncella. Pero ésta contestó aún con más soberbia:

—Si queréis beber, bebed en la mano.

La joven bajó del caballo y bebió agua, lamentándose:

—¡Dios mío!

Y las gotas de sangre contestaron:

—Si tu madre supiera esto, se le partiría el corazón.

Mientras bebía, se inclinó tanto que se le cayó el trapito del seno y el agua se lo llevó sin que ella lo notara. Pero la doncella lo había visto y se alegró, pues así tendría más poder sobre la débil princesa.

Cuando la princesa quiso volver a montar a Falada, dijo la doncella:

—Falada será mi cabalgadura y tú montarás mi caballo.

Y la princesa no tuvo más remedio que cambiar de cabalgadura. Luego la doncella le ordenó que se quitase los regios vestidos y se pusiera los suyos y le hizo jurar que en la corte no diría nada a nadie, a lo que tuvo que acceder, pues la doncella amenazaba con matarla.

Pero Falada lo oyó y lo vio todo.

Siguiendo camino, llegaron por fin al palacio donde el príncipe aguardaba impaciente. El joven ayudó a la

doncella a bajar del caballo, creyendo que era su prometida, y la hizo pasar al palacio, dejando a la verdadera princesa en el patio.

Entonces el viejo rey, mirando por la ventana, reparó en ella, y como era tan delicada y hermosa, preguntó a la novia de su hijo quién era la joven que había quedado en el patio.

—La he traído sólo para acompañarme. Podéis dar cualquier ocupación a esa criada.

Pero el anciano rey dijo:

—Tengo un muchachito que me guarda los gansos; que le ayude.

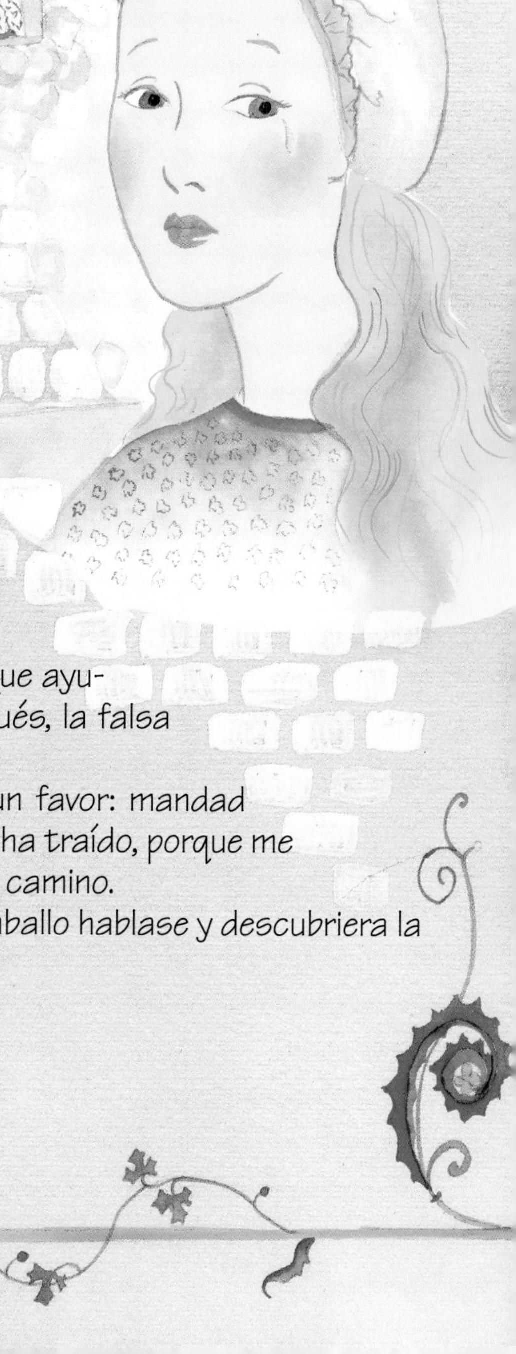

Y la verdadera prometida tuvo que ayudar a criar los gansos. Poco después, la falsa princesa dijo al príncipe:

—Querido, os ruego me hagáis un favor: mandad cortar la cabeza al caballo que me ha traído, porque me ha dado muchos cabezazos por el camino.

Esto pedía por temor a que el caballo hablase y descubriera la verdad.

Se decidió, pues, matar a Falada. Por fortuna, la verdadera princesa consiguió que el verdugo le prometiera que clavaría la cabeza del animal en la puerta por donde ella pasaba cada día con los gansos.

El verdugo cumplió su palabra. Cortó la cabeza de Falada y la clavó debajo de la puerta grande. Por la mañana, al pasar la princesa con los gansos, dijo:

—¡Pobre Falada mío, que estás aquí colgado!

Y la cabeza contestó:

—¡Oh, princesa, si tu madre supiera esto, se le partiría el corazón!

Una vez en el campo con los gansos, la princesa se sentó y se soltó los cabellos para peinarlos; pero el muchacho que la acompañaba, al verlos tan hermosos, quiso arrancarle algunos. Ella dijo:

—¡Viento, sal y llévate el sombrero de Conrado y hazle correr hasta que yo me peine!

Sucedió lo que pedía la joven y Conrado se enojó mucho. A la mañana siguiente, al pasar de nuevo por la puerta grande, dijo la joven:

—¡Oh, Falada, que estás clavado aquí!

Y Falada contestó:

—¡Oh princesa, si tu madre viera esto, se le partiría el corazón!

En el campo, la princesa volvió a soltarse la cabellera y, como Conrado quiso arrancarle algunos cabellos, volvió en su ayuda el viento y el muchacho no pudo cumplir sus deseos. Muy enojado, por la noche Conrado le dijo al rey:

—No quiero guardar más los gansos con esta muchacha.

—¿Por qué? —preguntó el monarca.

—Porque me hace rabiar todo el día.

Entonces el rey mandó que le contase lo ocurrido y Conrado dijo:

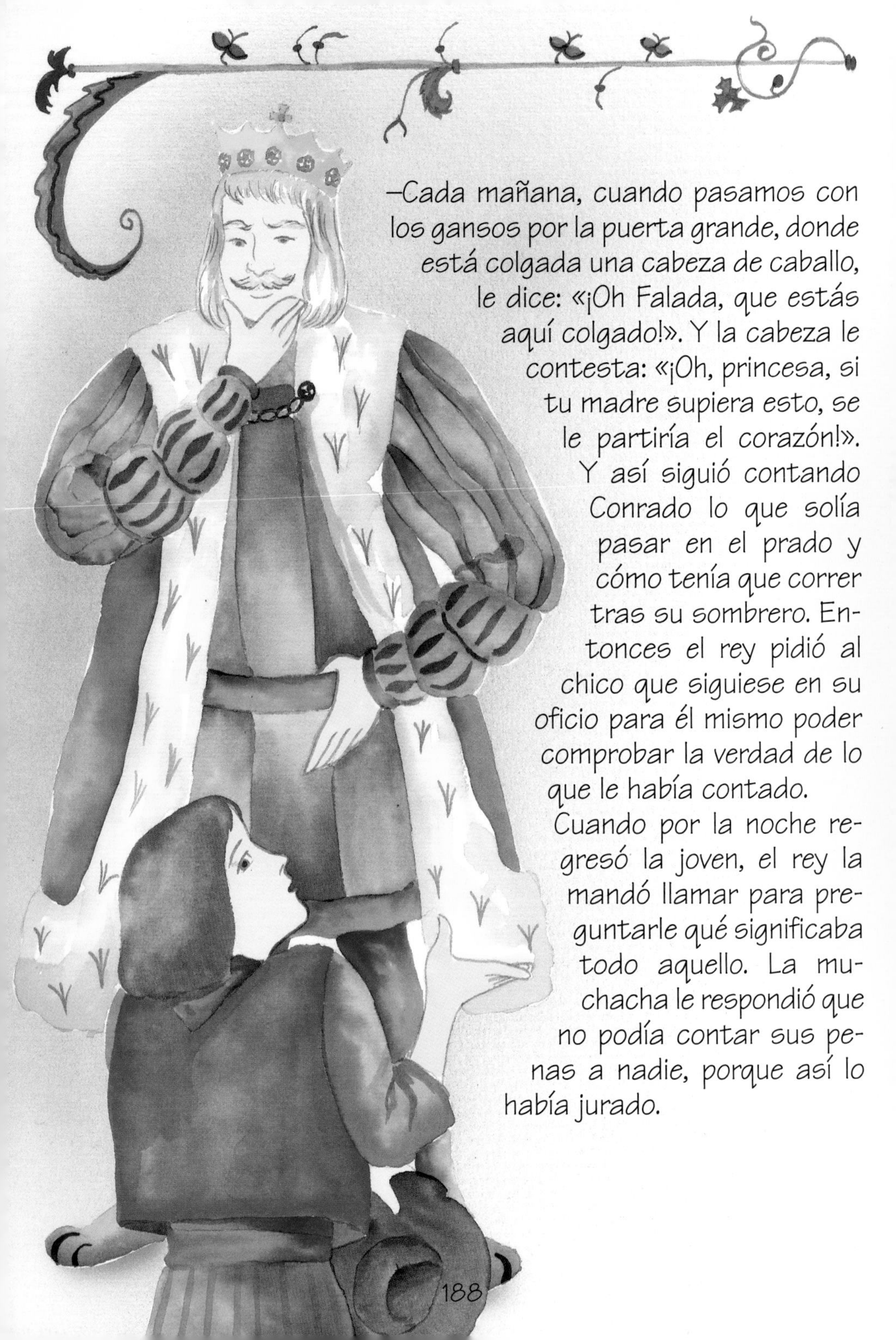

—Cada mañana, cuando pasamos con los gansos por la puerta grande, donde está colgada una cabeza de caballo, le dice: «¡Oh Falada, que estás aquí colgado!». Y la cabeza le contesta: «¡Oh, princesa, si tu madre supiera esto, se le partiría el corazón!».

Y así siguió contando Conrado lo que solía pasar en el prado y cómo tenía que correr tras su sombrero. Entonces el rey pidió al chico que siguiese en su oficio para él mismo poder comprobar la verdad de lo que le había contado.

Cuando por la noche regresó la joven, el rey la mandó llamar para preguntarle qué significaba todo aquello. La muchacha le respondió que no podía contar sus penas a nadie, porque así lo había jurado.

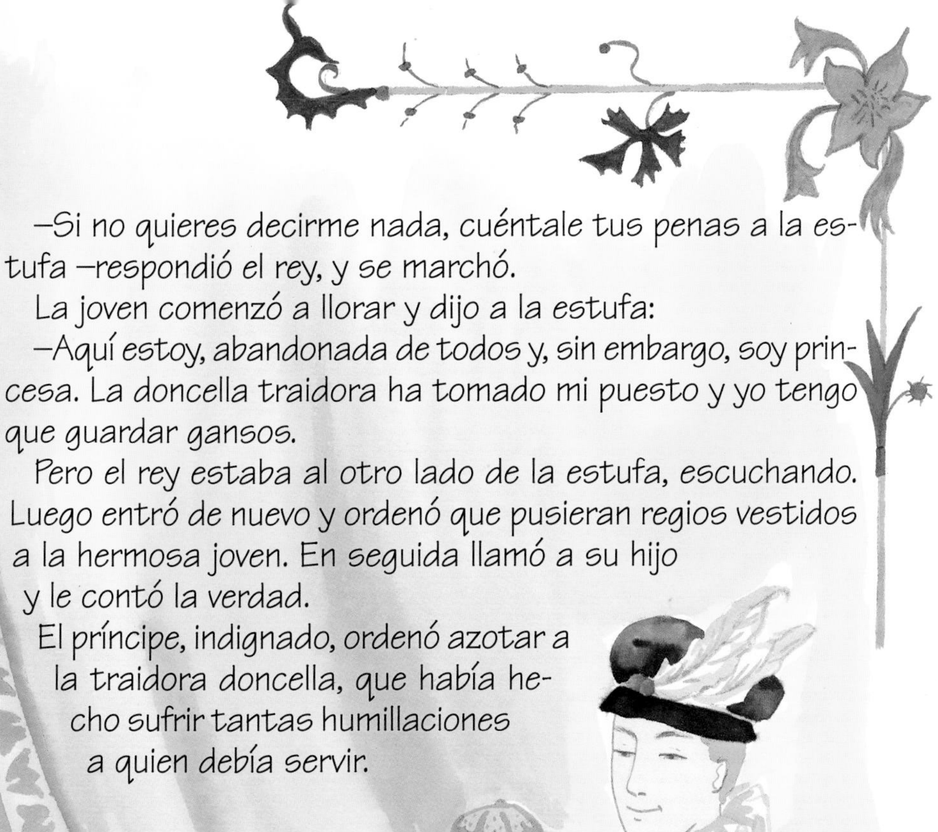

—Si no quieres decirme nada, cuéntale tus penas a la estufa —respondió el rey, y se marchó.

La joven comenzó a llorar y dijo a la estufa:

—Aquí estoy, abandonada de todos y, sin embargo, soy princesa. La doncella traidora ha tomado mi puesto y yo tengo que guardar gansos.

Pero el rey estaba al otro lado de la estufa, escuchando. Luego entró de nuevo y ordenó que pusieran regios vestidos a la hermosa joven. En seguida llamó a su hijo y le contó la verdad.

El príncipe, indignado, ordenó azotar a la traidora doncella, que había hecho sufrir tantas humillaciones a quien debía servir.

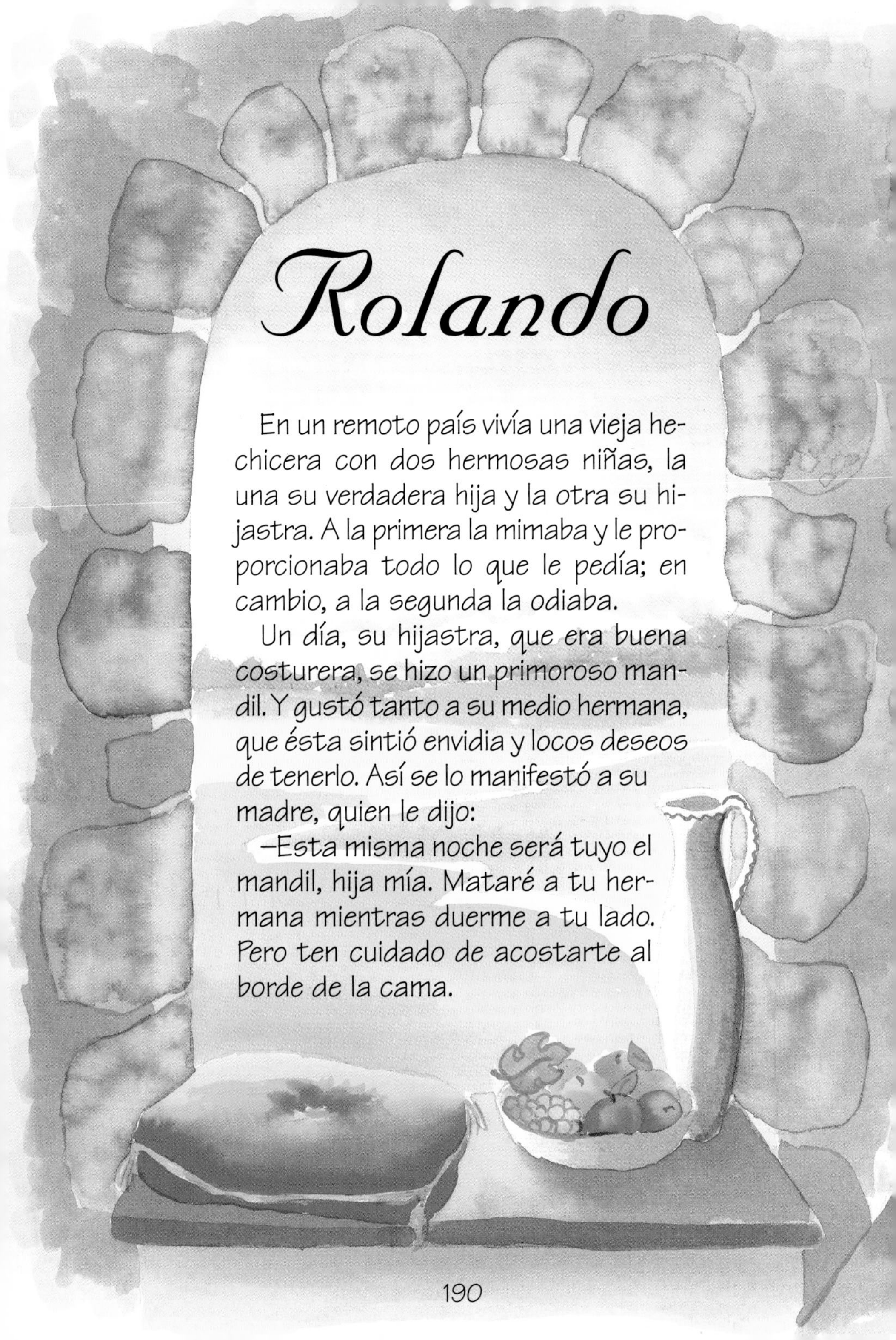

Rolando

En un remoto país vivía una vieja hechicera con dos hermosas niñas, la una su verdadera hija y la otra su hijastra. A la primera la mimaba y le proporcionaba todo lo que le pedía; en cambio, a la segunda la odiaba.

Un día, su hijastra, que era buena costurera, se hizo un primoroso mandil. Y gustó tanto a su medio hermana, que ésta sintió envidia y locos deseos de tenerlo. Así se lo manifestó a su madre, quien le dijo:

—Esta misma noche será tuyo el mandil, hija mía. Mataré a tu hermana mientras duerme a tu lado. Pero ten cuidado de acostarte al borde de la cama.

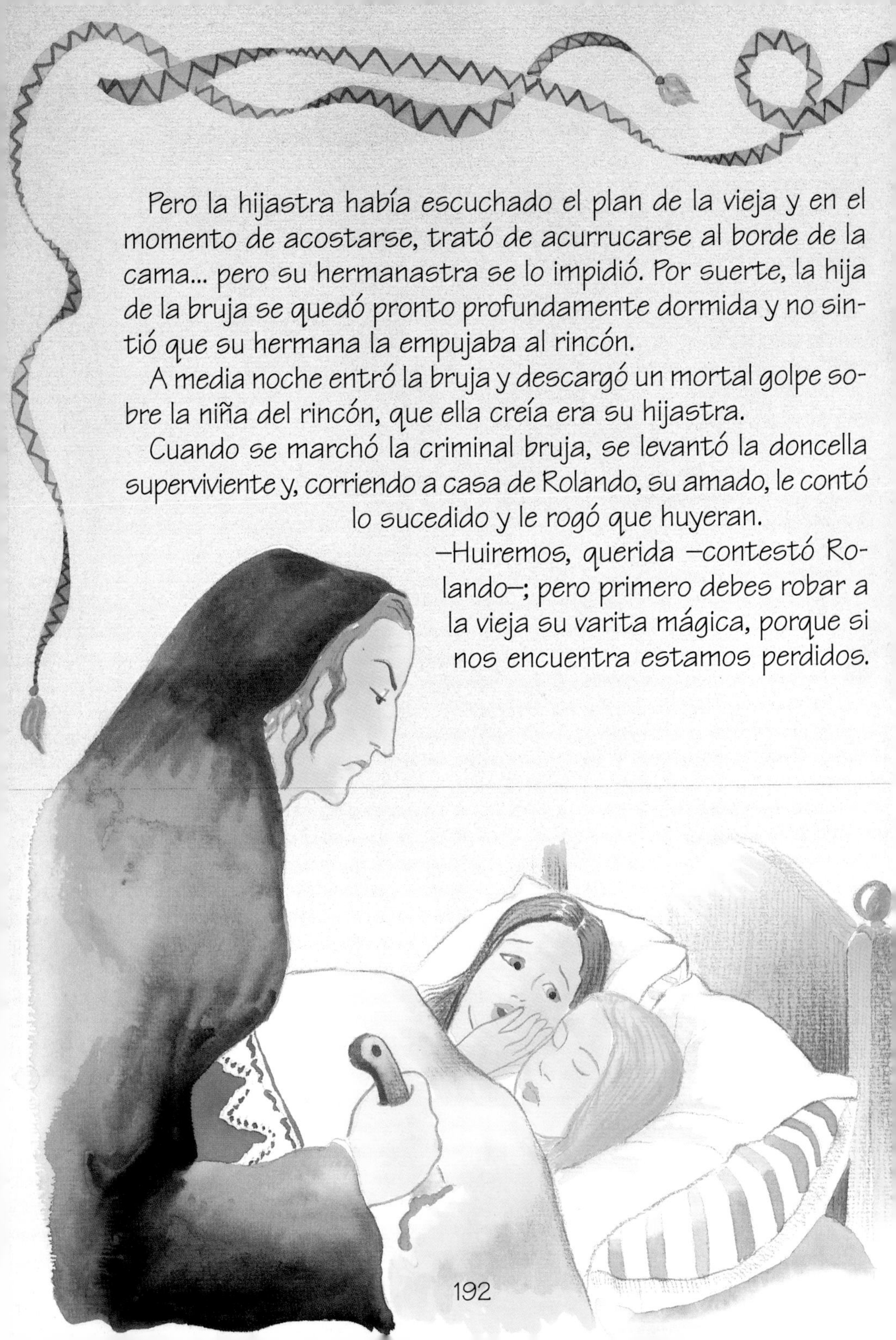

Pero la hijastra había escuchado el plan de la vieja y en el momento de acostarse, trató de acurrucarse al borde de la cama... pero su hermanastra se lo impidió. Por suerte, la hija de la bruja se quedó pronto profundamente dormida y no sintió que su hermana la empujaba al rincón.

A media noche entró la bruja y descargó un mortal golpe sobre la niña del rincón, que ella creía era su hijastra.

Cuando se marchó la criminal bruja, se levantó la doncella superviviente y, corriendo a casa de Rolando, su amado, le contó lo sucedido y le rogó que huyeran.

—Huiremos, querida —contestó Rolando—; pero primero debes robar a la vieja su varita mágica, porque si nos encuentra estamos perdidos.

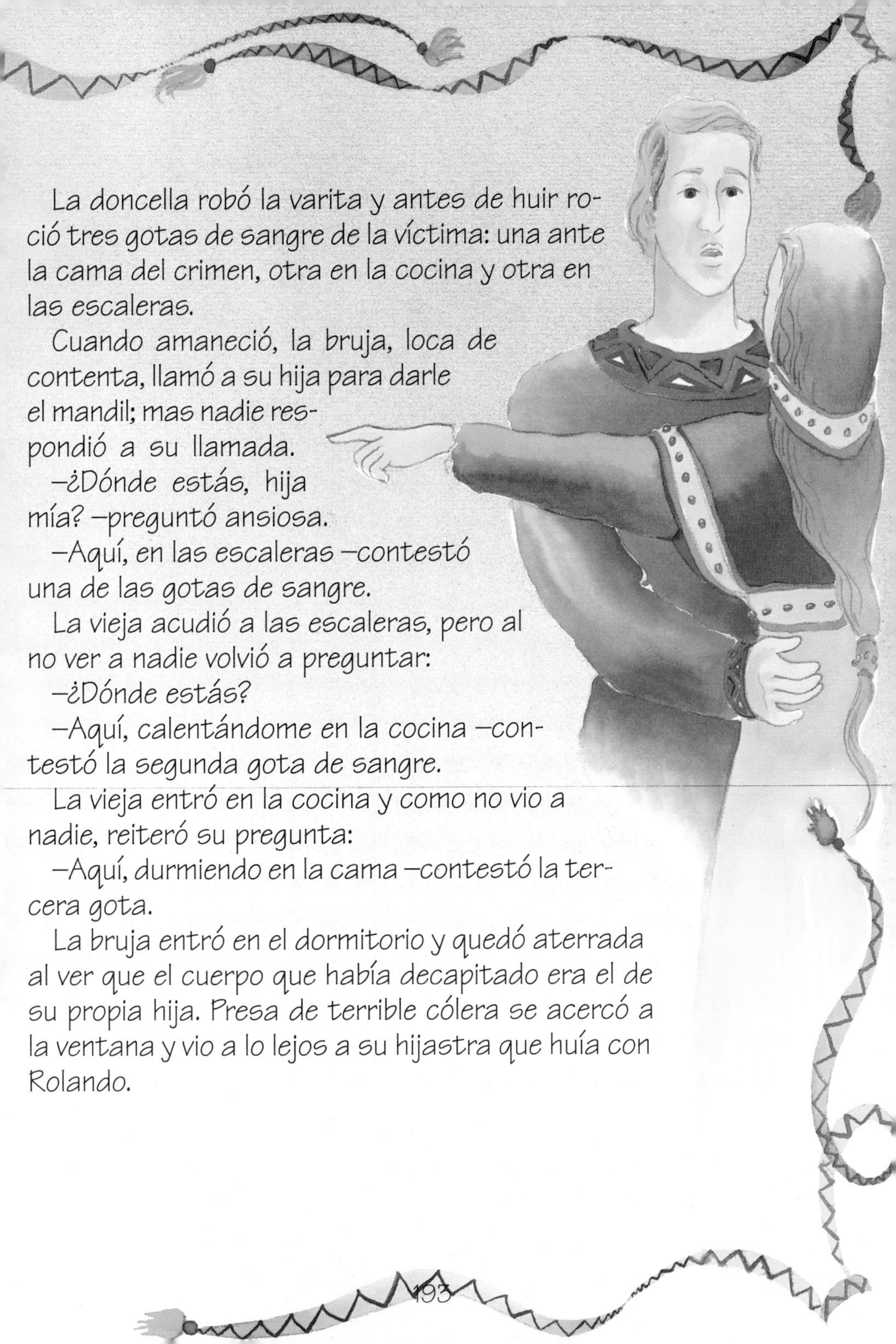

La doncella robó la varita y antes de huir roció tres gotas de sangre de la víctima: una ante la cama del crimen, otra en la cocina y otra en las escaleras.

Cuando amaneció, la bruja, loca de contenta, llamó a su hija para darle el mandil; mas nadie respondió a su llamada.

—¿Dónde estás, hija mía? —preguntó ansiosa.

—Aquí, en las escaleras —contestó una de las gotas de sangre.

La vieja acudió a las escaleras, pero al no ver a nadie volvió a preguntar:

—¿Dónde estás?

—Aquí, calentándome en la cocina —contestó la segunda gota de sangre.

La vieja entró en la cocina y como no vio a nadie, reiteró su pregunta:

—Aquí, durmiendo en la cama —contestó la tercera gota.

La bruja entró en el dormitorio y quedó aterrada al ver que el cuerpo que había decapitado era el de su propia hija. Presa de terrible cólera se acercó a la ventana y vio a lo lejos a su hijastra que huía con Rolando.

La furiosa bruja se calzó unas botas mágicas con las que de una sola zancada podía recorrer el camino de una hora. Así alcanzó a sus perseguidos; pero la doncella tocó a Rolando con la varita mágica y lo convirtió en lago, y luego, tocándose ella misma, se transformó en un pato. La bruja trató de coger al pato echándole migas, pero fue inútil.

Llegó la noche y la vieja tuvo que retirarse. Los jóvenes, recuperada su forma natural, siguieron camino hasta que amaneció. Entonces, por precaución, la doncella se transformó en una rosa y convirtió a Rolando en violinista.

Cuando regresó la bruja, dijo al joven:

—Me encantaría tocar esa rosa. ¿Me dejas?

—¡Cómo no! —contestó él—; y yo tocaré una tonada.

La vieja fue a tocar la flor, pero Rolando ejecutó una polca alegre y la vieja, quieras que no, empezó a bailar al son de la música, pues era una tonada mágica, y cuanto más aprisa tocaba el joven, mayores saltos y vueltas daba la bruja, hasta que por fin cayó desmayada al suelo.

Rolando tomó de la mano a su prometida y huyeron a la carrera. Cuando estuvieron a buen recaudo, dijo él a su novia:

—Parto a mi casa a prepararlo todo para la boda. Mientras, espérame aquí.

Rolando partió, pero no se dio cuenta de que la bruja, antes de caer al suelo, le había escupido al traje, con la saliva que hace perder el recuerdo. Rolando llegó a su casa, pero se olvidó por completo de su amada, al extremo de que se enamoró de otra doncella. La novia, viendo que pasaba mucho tiempo, se transformó en una bella flor con la esperanza de que alguien la arrancara de su tallo.

Días depués un pastor arrancó la flor y se la puso en el pecho sujeta con un alfiler. Desde aquel instante todo prosperó en el hogar del pastor y sucedieron cosas maravillosas. Cuando se levantaba por la mañana, ya todo el trabajo estaba hecho: la casa barrida, tendida la cama, el fuego prendido en el fogón y el agua hirviendo; y cuando volvía al mediodía, la mesa estaba bien servida. El hombre, desconcertado por aquellos hechos milagrosos, fue a consultar un día a la bruja.

—Voy a destruir el encantamiento —le dijo la perversa bruja—. Has de estar atento una mañana para ver si oyes o adviertes algo y, sea lo que fuere, arroja sobre ello este mantel blanco.

El pastor, al amanecer, vio que la flor marchita que tenía prendida en el pecho se reanimaba irguiéndose lozana. De inmediato la cubrió con el mantel blanco y apareció ante él una bella doncella, que confesó ser quien arreglaba su casa. Le refirió asimismo toda su historia, y la joven agradó tanto al pastor que éste le propuso casamiento.

—No puedo, buen hombre —contestó la doncella—; tengo que seguir siendo fiel a mi querido Rolando, aunque él me haya abandonado.

Mientras, había llegado el día de la boda de Rolando con la otra novia y, de acuerdo con la costumbre, se anunció por toda la región para que las jóvenes se reuniesen y cantasen en honor de los novios.

Cuando le tocó el turno de entonar su canción, la

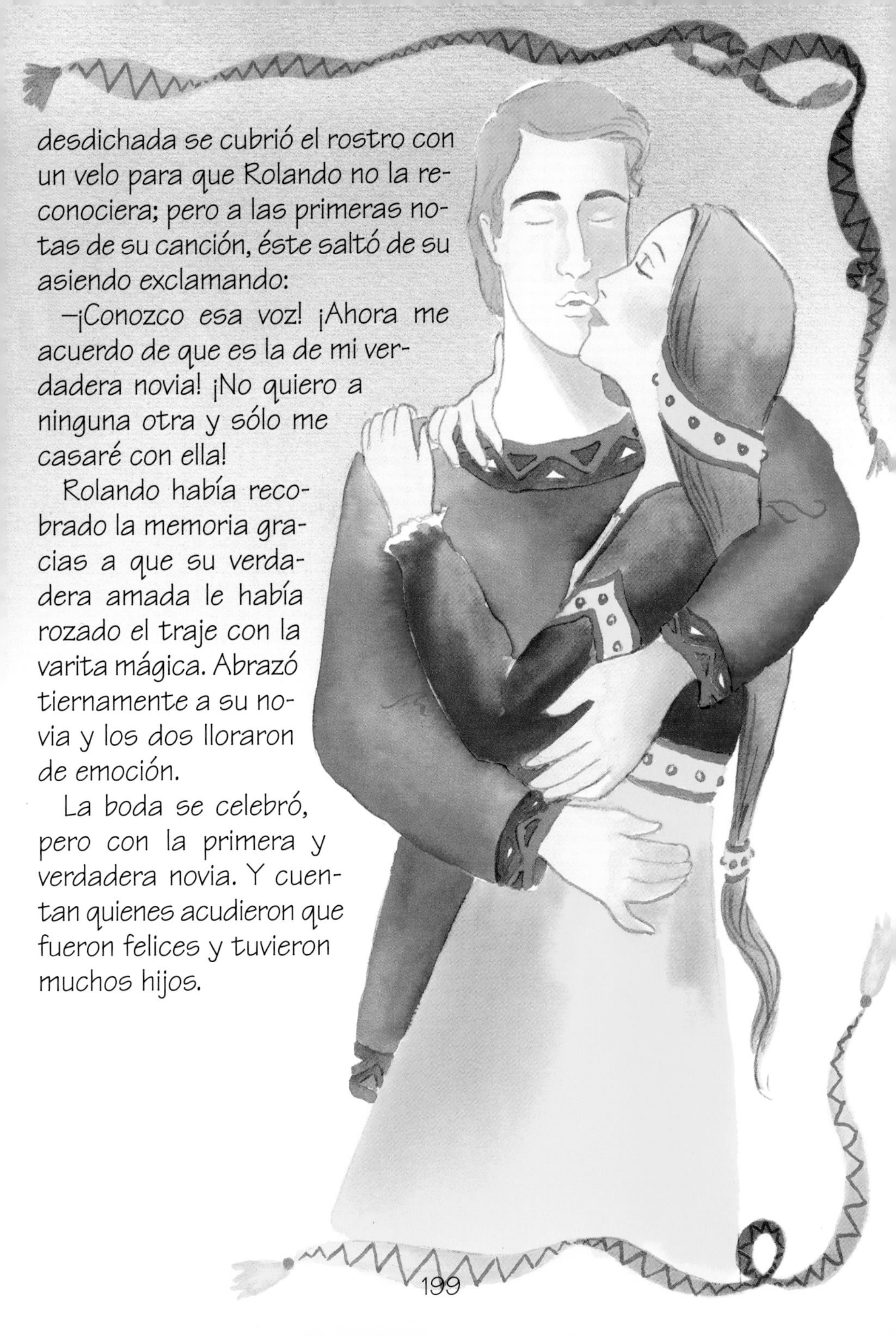

desdichada se cubrió el rostro con un velo para que Rolando no la reconociera; pero a las primeras notas de su canción, éste saltó de su asiendo exclamando:

—¡Conozco esa voz! ¡Ahora me acuerdo de que es la de mi verdadera novia! ¡No quiero a ninguna otra y sólo me casaré con ella!

Rolando había recobrado la memoria gracias a que su verdadera amada le había rozado el traje con la varita mágica. Abrazó tiernamente a su novia y los dos lloraron de emoción.

La boda se celebró, pero con la primera y verdadera novia. Y cuentan quienes acudieron que fueron felices y tuvieron muchos hijos.

Genoveva de Bravante

Muy querida por sus padres, los duques de Bravante, vivía en Alemania una lindísima niña llamada Genoveva. Tenía buen corazón, ayudaba a los necesitados y jugaba con los niños pobres, por lo cual todos la adoraban.

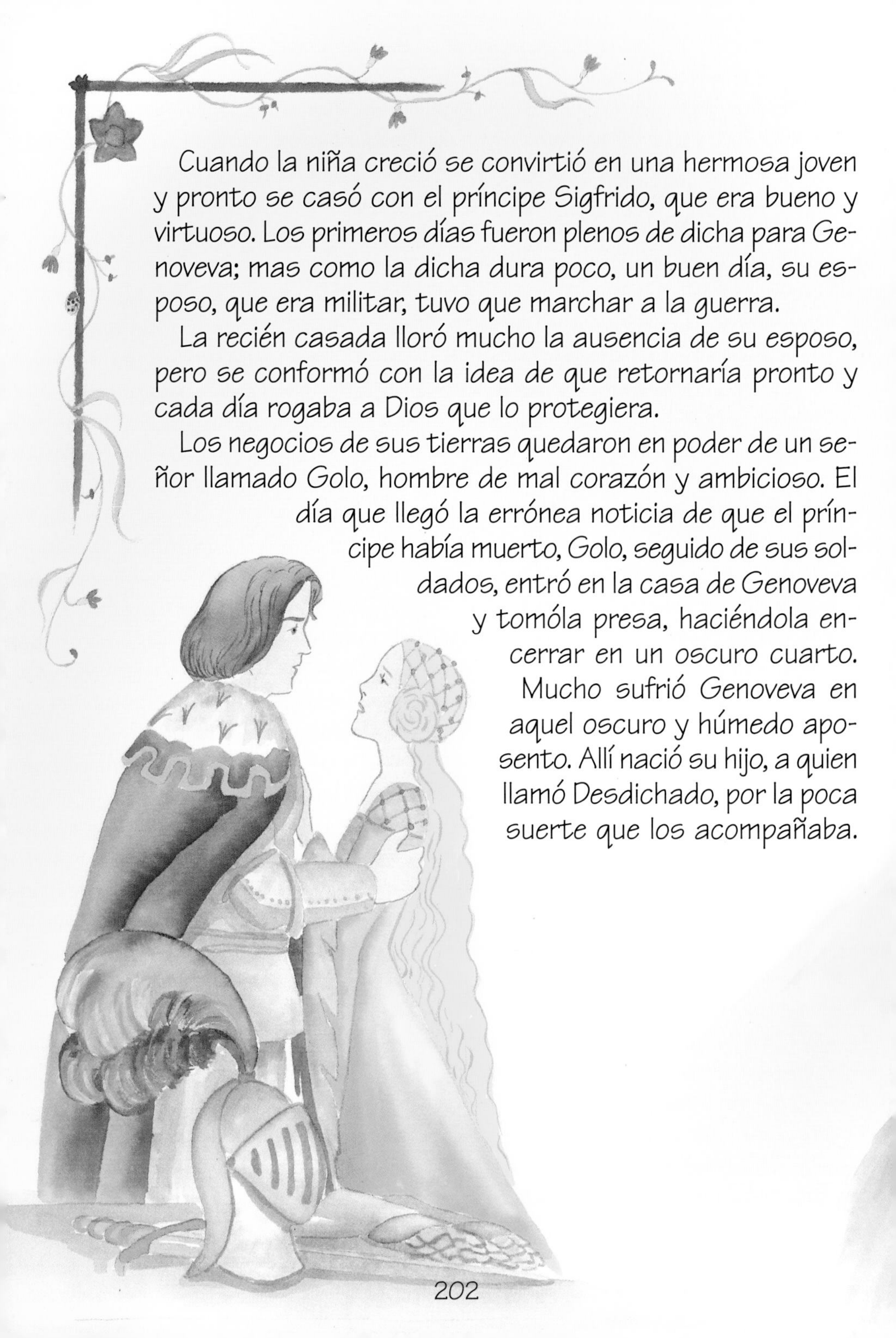

Cuando la niña creció se convirtió en una hermosa joven y pronto se casó con el príncipe Sigfrido, que era bueno y virtuoso. Los primeros días fueron plenos de dicha para Genoveva; mas como la dicha dura poco, un buen día, su esposo, que era militar, tuvo que marchar a la guerra.

La recién casada lloró mucho la ausencia de su esposo, pero se conformó con la idea de que retornaría pronto y cada día rogaba a Dios que lo protegiera.

Los negocios de sus tierras quedaron en poder de un señor llamado Golo, hombre de mal corazón y ambicioso. El día que llegó la errónea noticia de que el príncipe había muerto, Golo, seguido de sus soldados, entró en la casa de Genoveva y tomóla presa, haciéndola encerrar en un oscuro cuarto.

Mucho sufrió Genoveva en aquel oscuro y húmedo aposento. Allí nació su hijo, a quien llamó Desdichado, por la poca suerte que los acompañaba.

Al cabo de unos meses Golo ordenó que llevaran a Genoveva y a su hijo al bosque para matarlos allí. Pero a los soldados les conmovieron tanto las súplicas de Genoveva, que les perdonaron la vida, con la promesa de que no saldrían jamás del bosque. Los soldados dijeron a Golo que habían cumplido sus órdenes.

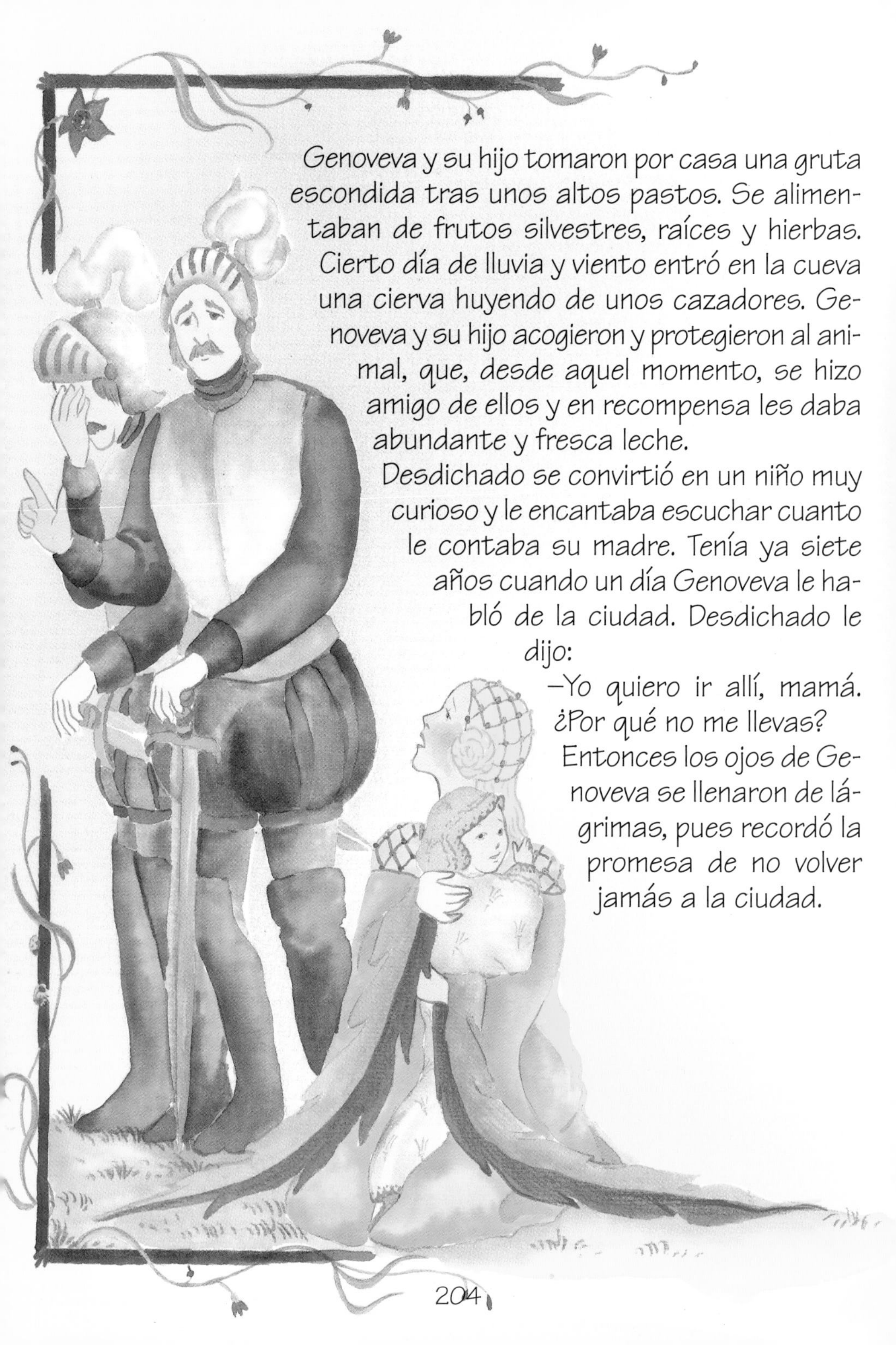

Genoveva y su hijo tomaron por casa una gruta escondida tras unos altos pastos. Se alimentaban de frutos silvestres, raíces y hierbas. Cierto día de lluvia y viento entró en la cueva una cierva huyendo de unos cazadores. Genoveva y su hijo acogieron y protegieron al animal, que, desde aquel momento, se hizo amigo de ellos y en recompensa les daba abundante y fresca leche.

Desdichado se convirtió en un niño muy curioso y le encantaba escuchar cuanto le contaba su madre. Tenía ya siete años cuando un día Genoveva le habló de la ciudad. Desdichado le dijo:

–Yo quiero ir allí, mamá. ¿Por qué no me llevas?

Entonces los ojos de Genoveva se llenaron de lágrimas, pues recordó la promesa de no volver jamás a la ciudad.

Mientras esto sucedía en el bosque, Sigfrido retornó un día a la ciudad, pues la noticia de su muerte había sido equivocada. Grande fue el asombro de todos, especialmente de Golo, cuando volvió el príncipe a palacio. El dolor de éste fue enorme al saber que, por designios de Golo, su esposa y su hijo habían corrido tan desdichada suerte.

Los habitantes del pueblo trataron de consolar al atribulado esposo organizando toda suerte de festejos y ferias; más fue todo en vano, pues Sigfrido no cesaba de pensar en Genoveva y en su hijito.

Una tarde llegó hasta él un personaje de la corte y le invitó a una cacería que se celebraba aquella misma tarde. El príncipe aceptó la invitación y se dirigió al bosque. Pero una vez allí, el desdichado Sigfrido se apartó de sus acompañantes y se dirigió hacia un rincón solitario para llorar su dolor.

Pasó varias horas cabalgando en su brioso caballo, cuando delante de él cruzó una cierva: era la misma que vivía con Genoveva, que había salido a beber en la fuente. Al ver a un hombre montado, el asustado animal volvió grupas, pero Sigfrido la siguió y como vio que se metía entre unos altos pastos, desmontó y caminó hacia ese lugar.

Enorme fue la sorpresa del príncipe al ver salir de la cueva a una hermosa mujer casi desnuda, llevando de la mano a un precioso niño. Lleno de admiración y asombro, Sigfrido le preguntó a la mujer:

—¿Quién eres y qué haces aquí con este niño?

Y mientras así decía, el corazón le hablaba de que aquella mujer y aquel niño eran algo de él.

—¿No me reconoces? ¡Soy tu esposa y este niño es tu hijo!

Y los tres unidos en estrecho abrazo, lloraron de alegría.

Cuando llegó hasta ellos el resto de la comitiva, el príncipe les contó cuanto Genoveva le había referido y les agradeció de todo corazón haberlo invitado a esta cacería.

De inmediato trajeron al bosque ricas ropas y un coche, y poco después llegaba el feliz grupo al pueblo, donde ya se sabía la noticia y los recibieron con muestras de júbilo. Esa misma noche todo el pueblo fue iluminado y se obsequió un pastel de manzana y una botella de buen vino a todos los habitantes del lugar, mientras que en palacio los nobles bailaban a los acordes de una alegre orquesta.

La dicha volvió a brillar para Genoveva al verse en palacio junto a su cariñoso esposo y a su hijo, que era muy estudioso y tan valiente como su buen padre.

De vez en cuando todos visitaban la gruta donde vivieron Genoveva y Desdichado y que había sido arreglada para vivienda de la cierva, fiel compañera de infortunios.

Genoveva nunca se cansó de dar las gracias a Dios, por haber sido tan bueno con ella y por haberle deparado la dicha de vivir nuevamente con su esposo y su obediente hijo.

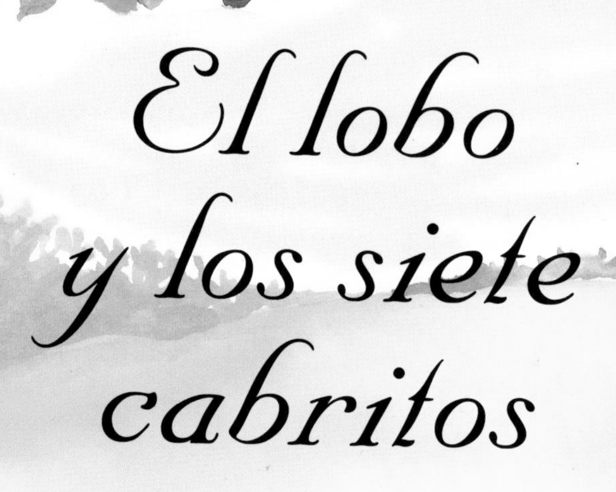

El lobo y los siete cabritos

Mamá cabra vivía en una hermosa casita en medio del bos-con sus siete cabritos, guapos e inteligentes. Bele se llamaba el mayor, que era negro como el carbón, Bolo era el segundo, castaño y brillante. Boli era el tercero, una cabrita blanca de pezuñas negras. Bili era el cuarto, un cabrito manchado blanco y marrón, como el quinto, Bali, que era también una cabrita. Bala era rubio como el trigo; pero el más gracioso de todos era Bulu, un cabrito negro con una mancha blanca en la frente.

Antes de enviarlos a la escuela, mamá Cabra siempre les decía:

—Hijos míos, sed aplicados y obedeced al maestro si queréis llegar a algo en la vida. Y no os entretengáis por el camino ni os desviéis, porque sabéis que el lobo vive por allí y es muy peligroso.

—¡Sííí, mamáaa! ¡Descuida! —prometían todos a una.

Un día que mamá Cabra necesitaba ir de compras a la feria, reunió a sus hijitos y les dijo:

—Tengo que dejaros solos porque debo salir de compras. Tened cuidado por si viene el lobo, pues si llega a enterarse que estáis solos, vendrá aquí y os devorará a todos.

—¡Ay, mamaíta, qué miedo! —dijo Bele, el hijo mayor—. Pero ¿cómo sabremos que es el lobo quien llama a la puerta?

—Es verdad que el lobo es muy astuto y suele disfrazarse. Pero lo reconoceréis por la voz ronca y las pezuñas negras.

Mamá Cabra se fue a la feria con su cesta y los siete cabritos se encerraron en la casita y se pusieron a jugar.

Al poco llamaron a la puerta y una voz ronca gritó:

—¡Abrid pronto, hijos, que soy vuestra madre!

Los cabritos se miraron asustados y entonces Bele, el mayor, contestó:

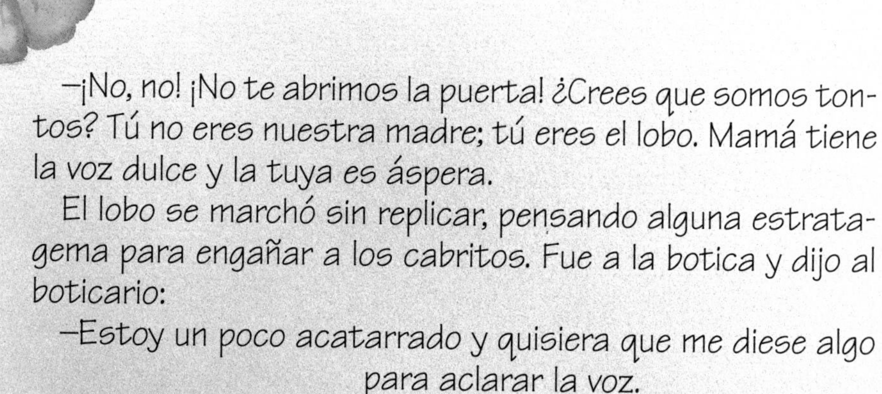

—¡No, no! ¡No te abrimos la puerta! ¿Crees que somos tontos? Tú no eres nuestra madre; tú eres el lobo. Mamá tiene la voz dulce y la tuya es áspera.

El lobo se marchó sin replicar, pensando alguna estratagema para engañar a los cabritos. Fue a la botica y dijo al boticario:

—Estoy un poco acatarrado y quisiera que me diese algo para aclarar la voz.

—Le daré unas pastillas de malvavisco, que son eficaces.

El lobo se tomó las pastillas en un santiamén y se dirigió de nuevo a la casa de los pequeños. Llamó a la puerta, diciendo con voz dulce:

—Abrid, hijitos, soy vuestra madre.

Los cabritos esta vez se quedaron confundidos. ¿Sería o no sería verdad?

Bele recordó los consejos de su madre y gritó:

–Enséñanos la manita, mamá, y así nos convenceremos.

El lobo, entonces, pasó una pata por el agujero de la puerta.

–¡No te abrimos, malo, que eres el lobo y no mamá! Ella tiene las patitas blancas y la tuya es negra.

Colérico, el lobo se fue a una panadería.

–¡Ay, amigo panadero! Mientras freía buñuelos, me ha saltado aceite a las patas delanteras y me he quemado. Dicen que poner un poco de masa sobre la quemadura es el mejor remedio.

El panadero, compadecido, le puso masa en las patas, que quedaron blancas y cubiertas de harina; así el lobo volvió donde los cabritos.

–Hijitos míos –dijo con voz suave–, soy vuestra querida mamaíta, que ya está de vuelta. Abrid pronto.

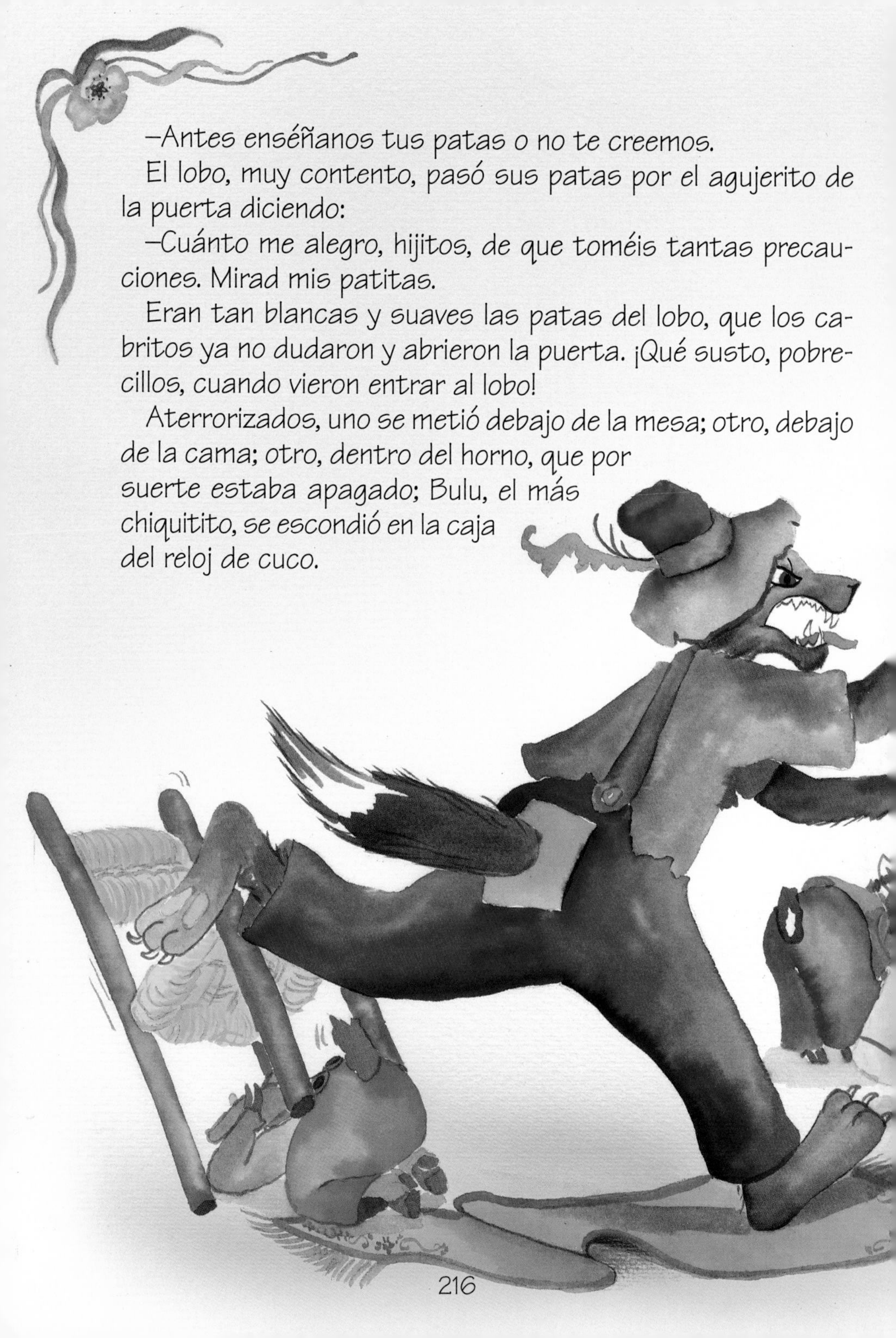

–Antes enséñanos tus patas o no te creemos.

El lobo, muy contento, pasó sus patas por el agujerito de la puerta diciendo:

–Cuánto me alegro, hijitos, de que toméis tantas precauciones. Mirad mis patitas.

Eran tan blancas y suaves las patas del lobo, que los cabritos ya no dudaron y abrieron la puerta. ¡Qué susto, pobrecillos, cuando vieron entrar al lobo!

Aterrorizados, uno se metió debajo de la mesa; otro, debajo de la cama; otro, dentro del horno, que por suerte estaba apagado; Bulu, el más chiquitito, se escondió en la caja del reloj de cuco.

Pero fue en vano: el astuto lobo registró toda la casa y se los fue tragando uno a uno. Sólo Bulu se salvó.

El lobo comió tanto que sintió sueño. Se echó a dormir a la sombra de los árboles.

—¡Aaaah! —bostezó el lobo—. ¡Qué bien voy a dormir!

Y, en efecto, a lo pocos segundos roncaba plácidamente.

Entretanto, mamá Cabra regresó a su casa. ¡Qué atroz sorpresa cuando vio la puerta abierta y todo patas arriba!

Muy apenada comenzó a llamar a sus hijitos, pero ninguno contestaba. ¿Cómo iban a contestar, si estaban en la panza del lobo?

Bulu reconoció a su mamá y llamó:

—¡Mamá, mamaíta, aquí estoy! ¡Ay, qué miedo he pasado!

Mamá Cabra sacó a Bulu del escondite y éste le contó lo sucedido con sus hermanitos. ¡Cómo lloró mamá Cabra!

Pero mamá Cabra era valiente y pensó castigar al malvado lobo. Salió al bosque, seguida de Bulu, y no tardaron mucho en descubrir al lobo, dormido aún bajo los árboles.

Mamá Cabra se aprestaba a hundirle los cuernos en la barriga al facineroso, cuando vio que algo se movía en el vientre de aquél.

—Mira, Bulu. Tus hermanitos están vivos en la barriga del lobo. Corre a casa y tráeme el cuchillo de cocina.

Cuando Bulu trajo el cuchillo, mamá Cabra, con sumo cuidado, fue cortando la piel de la barriga del lobo. ¡Ah, qué alegría! Todos sus hijos salieron vivitos y contentos de volver a ver a mamá.

—Corred al río —les dijo mamá Cabra— y traed seis piedras muy grandes. Con ellas en el vientre, el lobo no notará el cambio.

Los cabritos trajeron las piedras y mamá Cabra las fue metiendo dentro del vientre del lobo, el cual cosió con cuidado. Concluida esta operación, el lobo despertó.

—¡Uuuuy, qué sed tengo! —dijo estirando las patas.

Llegó al río y alargó el pescuezo para beber. Pero el peso de las piedras lo arrastró y le hizo caer de cabeza en el agua. Y aunque sabía nadar, su vientre repleto de piedras lo hundió y nunca más salió.

Índice